婚姻的故事

林◆海◆音◆作◆品◆

婚姻的故事

文／林海音

遊目族

目錄

〈總序〉

超越悲歡的童年

齊邦媛

在新的千年開始時，遊目族文化事業公司出版《林海音作品集》是一件極有魄力且影響深遠的文壇盛事。新版聚攏了已開始散失的作品，給它們注入新生命，使新世代的讀者可以看到上一代的文采風貌，也給已逝的世紀保住了珍貴的文獻。林海音的身世背景、生長過程和豐盛的文學生涯見證了二十世紀台灣的省籍融合和文學胸襟的開拓。她個人在大陸的生長經驗和對台灣本土作家的發掘與鼓勵，對台灣文壇有極大貢獻，也具有難於超越的代表性。

海音在三十七年由北平回到光復後的台灣。當那艘船駛入青山環繞的基隆港時，她的心中必有一種強烈的感動，因爲她回到父母生長的故鄉來了。她在《綠藻與鹹蛋》小說集的序裡說：「幾乎是從上了岸起，我就先找報紙雜誌看，先弄個破書桌開始寫作。」在這個書桌上開始了一個文人最豐富的一生。她不僅寫下了多篇必能傳世的小說和散文；也曾成功地主編聯合報副刊十年，提升了文藝副刊的水準與地位；更進而自己創辦純文學出版社，發掘、鼓勵了無數的青年作家。

林海音作品中所呈現的是一個安定的、正常的、政治不掛帥的社會心態。她的小說集《城南舊事》、《燭芯》和《婚姻的故事》中，多篇是追憶她童年居住北平城南的景色和人物。其中如〈惠安館〉和〈驢打滾兒〉等篇，雖是透過童稚的眼睛看大人的世界，卻更啓人深思。由於孩子不詮釋、不評判，故事中的人物能以自然、眞實的面貌出現，扮演他們自己喜怒哀樂的一生。〈金鯉魚的百襉裙〉和〈燭〉進一層探討女子在不合理的婚姻中抑鬱終生的悲劇。她的長篇小說《曉雲》寫的是台灣的一個自主自立的現代女子，「暗中摸索」人生與愛情。作者常用近似意識流的自敘法和象徵性手法，故事的發展和她內心的困惑有平衡的交代。文字風格的超逸，給全書抒情詩的情調。曉雲的處境引起的同情反而多於道德的評判了。

在《城南舊事》裡，〈惠安館〉、〈我們看海去〉、〈蘭姨娘〉和〈驢打滾兒〉四篇都可以單獨存在，它們都自有完整的世界。但是加上了前面兩篇和後面兩篇，全書應作一本長篇小說看。作者自己在〈冬陽．童年．駱駝隊〉一文中即說：「收集在這裡的幾篇故事，是有連貫性的。」讀完全書後，我們看出不僅全書故事有連貫性，時間、空間、人物的造型、敘述的風格全都有連貫性。

貫穿全書的中心人物是英子。時間是民國十二年開始。英子由一個七歲的小女孩長大到十三歲。書中故事的發展循著英子的觀點轉變。故事雖是全書骨骼，她的觀察卻給它血肉。英子原是個懵懂好奇的旁觀者，觀看著成人世界的悲歡離合，直到爸爸病故，她的童年隨之結束，她的旁觀者身分也至此結束，在十三歲的年紀「開始負起了不是小孩子該負的責任」。人生的段落切割得如此倉卒，更襯托出無憂無慮的童年歡樂的短暫可貴。但是童年是不易寫的主題。由於兒童對人生認識有限，童年的回憶容易陷入情感豐富而內容貧乏的困境。林海音能夠成功地寫下她的童年且使之永恆，是由於她選材和敘述有極高的契合。

偌大的北平城，跨越了極深廣的時空的古城，在一個孩子的印象裡卻只展示了它親切的一角——城南的一些街巷，不是舊日京華的遺跡，卻是生生不息的現實生活，活得熱熱鬧鬧的。英子的家已經有了四個妹妹和兩個弟弟，胡同口還有「惠安館」中的瘋姑娘和苦命的妞兒。她們傳奇性的結局是故事，但是卻不是陰黯的故事。作者將英子眼中的城南風光均勻地穿插在敘述之間，給全書一種詩意。讀後的整體印象中，好似那座城和那個時代扮演著比人物更重的角色。不是冷峻的歷史角色，而是一種親切的、包容的角色。《城南舊事》若脫離了這樣的時空觀念，就無法留下永恆的價值了。讀者第一遍也許只看故事，再回頭看看，會發現字裡行間另有繫人心處。林海音的文筆最擅寫動作和聲音，而她又從不濫用渲染，不多用長句，淡淡幾筆，情景立現。因此看似簡單的回憶，卻能深深地感動人。有了這樣的核心，這些童年的舊事可以移植到其他非特定的時空裡去，成爲許多人共同的回憶。

《城南》一書中人物除了英子的雙親之外，與她童年歡樂的記憶有最密切關聯的要算宋媽了。在各篇中宋媽可說是無處不在，無疑地也是讀者印象中最難忘的人物。這位命運悽苦的卑微人物，在英子的回憶中自有她的智慧和尊嚴。作者在講別人的故事時常會插上一段描寫宋媽的文字。這些片段連綴起來合成一幅鮮明的畫像——不僅是宋媽的畫像，也可說是那個時代北方鄉村婦女的典型了。她被生活所迫，來到英子家中幫傭，但是主僕關係之外漸漸發展出一種朋友的關係。她不僅直接分享這家人的喜怒哀樂、生老病死，也常常是英子的人生課程的啓蒙師。她淳樸簡單的智慧時時是童騃的英子與現實世界的一座穩妥可靠的橋。

林海音在台灣開始寫作的年代（民國四十年前後），西方文學批評理論還沒有影響中國作家。至少像結構主義等還沒有今日響亮。但是成功的作品自有它完整的結構，讓錯綜複雜的人際關係各就其位，整體綜合再顯現出全篇的主題。〈驢打滾兒〉就是個很好的例子。在表面上它幾乎沒有緊湊的情節。但是在這個九歲的女孩——英子眼中看到的小世界後面卻是一個悲慘的大世界。從頭到尾作者不曾逾越這個孩子有限的觀察。她的天地幾乎是局限在五十年前北平城裡的一個四合院裡，院子裡住著的是她和樂溫飽的一家人。家就該是這個樣子，她弟弟的奶媽——宋媽是個會講鄉村故事、會納布鞋底子、會抱著她妹妹唱兒歌：「雞蛋雞蛋殼殼兒，裡頭坐個哥哥兒……」的人，與她們生活息息相關。英子看不到，也想像不到宋媽夫離子散的家庭，更不用提人生更多悲悽割捨了。她只知道宋媽為了「一個月四塊錢，兩副銀首飾，四季衣裳，一床新鋪蓋」到她家幫傭，一做四年。宋媽和她那「黃板兒牙」的丈夫那時大約都不到三十歲，卻給人一種蒼老的感覺。每次這個男人牽著驢來的時候，故事的發展就升高一層。這匹愚鈍固執的牲口成了貫穿全局的象徵。四年前宋媽剛來時，這頭驢首次出現，然後每年來兩次，都被拴在院子裡，「滿地打滾兒，爸爸種的花草，又要被蹧踐了。」

驢子每次的出現不僅是作情節的聯繫，也襯托乃至增強了人物的造型。宋媽的丈夫又來的時候，終於說出了家中真相——宋媽日夜掛念的兒子小拴子早已在河裡淹死了。那個出生連名字都沒有的「丫頭」，在抱離母懷當天，還沒出城門就送給了不相識的人！當宋媽悲泣時，這頭驢子在吃乾草，「鼻子一抽一抽的，大黃牙齒露著。怪不得，奶媽的丈夫像誰來看，原來是牠！宋媽為什麼嫁給黃板兒牙，這蠢驢！」很明顯的，在小孩的眼中，驢與宋媽的丈夫的形象已經合而為一。這個典型的「沒有出息」的失敗者與他的驢是分不開的。他每次來都趕著驢穿過幾十里的黃土地，藍布的半截褂子上蒙了一層黃土。這黃土是北方乾旱的原野上長年吹著的風沙，是大自然的勝利的見證，也是質樸愚騃的農民終歲勞苦奔波於生計的場所。

如果不穿透作者故意佈下的童稚的迷茫，〈驢打滾兒〉似乎有些詩意的情調。這篇城南舊事和許多童年美好的回憶一樣，已在遙隔的時空裡濾掉了許多愁苦，只剩下笑淚難分的懷念。只是宋媽和與她命運相同的女子不允許我們忽視現實。不僅那黃板兒牙的男人和驢子滿身塵沙，作爲故事題目〈驢打滾兒〉的小點心也是帶著卑微但卻親切色彩的鄉下食物，用世代相傳的土法蒸的黃褐色的小圓餅，在綠豆粉裡滾一滾，也就是塵土色了。宋媽把英子帶出她舒適的小院子去找尋丫頭子。在古城塵土覆蓋的街巷中走著，吃幾個這種塵土色的驢打滾兒小餅，繼續穿街走巷找尋那個沒名沒姓的骨肉。這一場無望的掙扎，注定了要失敗的。尋覓無望之後，英子的小世界有了顯著的變化：宋媽不再講小拴子放牛的故事了，兒歌也不唱了。以前她把思子之情灌注在納得厚厚的鞋底上，好似祝禱兒子能穩穩地站在無母的歲月裡等她回去團聚。如今「她總是把手上的銀鐲子轉來轉去的呆看著，沒有一句話。」

故事的結束可以說是傳統式的，宋媽終於跟她的丈夫回鄉去了。她希望再生孩子。小拴子和「丫頭」也許是命中與她無緣，因爲中國在世世代代的希望幻滅之後，不得不將生死聚散歸爲緣分。如同英子的母親說的，「是兒不死，是財不散。」宋媽對命運最大的挑戰大概是再生些兒子吧？她騎驢上路的時候，「驢脖子上套了一串小鈴鐺，在雪後新清的空氣裡，響得眞好聽。」這是第一次有歡愉的事與這頭驢有關聯。也許小女孩只在想宋媽不久即將再生可愛的小孩，所以鈴鐺響得好聽。實際上，宋媽的困境並未結束。但是人活著總得有份希望，即使是那頭驢灰撲撲的脖子也掛了一串鈴鐺。在生活的實際奮鬥中，絕望也不是件容易的事。

林海音在後記中說：「每一段故事的結尾，裡面的主角都是離我而去，一直到最後的一篇〈爸爸的花兒落了〉，親愛的爸爸也去了。」宋媽這樣地離去，是悲是喜，似非英子所能理解，但是書中因爲有了宋媽和她的故事，而加添了多層的深度。《城南舊事》在英子的歡樂童年和宋媽的悲苦之間達到了一種平衡。掩卷之際，讀者會想，「看哪，這就是人生的最簡樸的寫實，它在暴行、罪惡和污穢佔滿文學篇幅之前，搶救了許多我們必須保存的東西。」

這一篇我爲《城南舊事》寫的序文原是我在七十一年在美國加州大學講授台灣文學的一篇講稿，七十二年「純文學出版社」重排此書時林海音要我把這份分析與講解寫成序文。

初識海音是在讀她的《曉雲》之後不久，對她的文采與書中濃郁的關懷之情深感佩服。六十四年我主編的《中國現代文學選集（台灣）》英文本由美國華盛頓大學出版社發行，海音的〈金鯉魚的百襉裙〉是第一篇短篇小說，讀者反應很好，記得當我們英譯送請編審委員吳奚貞教授審稿時，一向嚴肅，不苟言笑的奚貞先生竟然感動落淚，暫忘了兩種語言的差距，在〈婚姻的故事〉中，作者以敏銳纖細的人生觀察寫出了二十世紀初葉，中國社會所允許，乃至鼓勵的種種性別不公平現象，其中〈燭〉尤其令人難忘，那個必須隱忍的「賢德」女子竟逃避到一燭光照的蚊帳之內，自囚終生！平日爽朗談笑，豁達舒展的海音，卻在寫小說時以無比的慧心將她的觀點濃聚在一條裙子、一支燭光中，令讀者在引伸思考之後感動難忘，和宋媽乘坐那匹驢子的鈴聲一樣，在雪後的清晨，響著無數可能的未來。

自一九七〇年代，殷張蘭熙將海音的小說英譯集成《綠藻與鹹蛋》等書，她也已將《城南舊事》前三篇譯成英文。我七十四年遭到車禍坐在輪椅上，將後兩篇譯出，寫了序，八十一年由香港中文大學出版社出版。在那本淡雅美麗的封面上有冬陽，有駱駝，書名 Memories of Peking- South Side Stories 。下面是作者林海音，英譯者殷張蘭熙和我的名字。念塵世生命之脆弱短暫，更感文學生命之久長。這一本書竟成了我們數十年談文論藝最美好的見證了。

〈序〉

作家·主編·出版人

鄭清文

三島由紀夫（一九二五—七〇）是多種身分的日本著名文學家。不過，開高健（一九三〇—八九）說他「一是評論家，二是劇作家，三是小說家。」三島如果聽到這些話，或許會感到一點悲涼吧。

林海音先生（我們都這樣稱呼她），也是一位身兼數職的文學家。她是主編、作家，也是出版人。從作品而言，她寫小說，也寫散文。

聽說她做《聯副》的主編時，因爲登了一首小詩，犯了禁忌，引咎下台。後來，她創辦了《純文學》雜誌，自任編務。不管是《聯副》或《純文學》雜誌，做爲一位主編，她具有獨特的眼光和作爲。當時戰鬥文學昌盛，她卻能把目光轉向純文學，刊用不少被其他報章雜誌所摒棄的優良作品，可說膽識過人。

林海音曾經告訴我，黃春明有兩篇文章，寫得很好，卻不敢用。這是時代的無奈。後來，她還是冒險用了。這是她喜愛好作品，敬重好文學的天性。她還告訴我，她退了一位名作家的稿。我很驚訝，也很好奇，問她用什麼理由說服對方。她說，這種文章不能登，否則會損傷作者以往的盛名。這是一位好編輯的面目。

林海音創辦《純文學》雜誌，是她的夙願。這份雜誌雖然只維持了五年（一九六七—七二），卻登了不少具有代表性的作品，包括小說、詩、評論和散文。這份雜誌在文學比較貧瘠的時代，提供了一個非常重要的園地。這也是她對台灣文學的貢獻。辦雜誌，最大的困難是稿源和讀者。以林海音的眼光和待人接物的風範，稿源問題似乎較小。但是因爲她標榜純文學，爲讀者劃了一條界線，限制了雜誌的銷售量。這也是純文學雜誌的宿命。

實際上，一位優秀的編輯和一位優秀的作家有一個共同點，就是能夠賞識好的文學作品。林海音是一位主編、作家和出版人。其中，最重要的應該是做爲作家的角色。她寫小說，也寫散文。她的小說遠比散文重要。她最後的小說《孟珠的旅程》，在一九六七年出版，做爲一個小說家，她已結束。不，應該說是已完成。以後，她雖然繼續寫文章，卻以散文爲主，包括遊記。她寫小說的終結點，正是她創辦《純文學》的起點，可見她爲了這個雜誌，犧牲了小說的創作。

林海音所處的是一個特殊的時代，很多人寫大時代、大主題。她卻寫生活、寫愛情、婚姻與家庭。她寫作的重點是女人的歡喜和悲哀。她的文學能深入社會，所以更能寬闊和深厚。

她雖然寫日常生活，卻也未忘記她所處的時代。她寫二十年代的北京，三十年代的南京，以及以後的台灣。她寫時代的交替，戰爭的陰影，兩地人民的阻隔。

台灣的文壇不是緩和前進的。一下子戰鬥文學，一下子現代主義。林海音文學，便是在這些文學的大潮流中間，守著自己的分寸。有一段時期，文壇風行文字的雕鑿，林海音卻充分使用生活語言，用她那敏銳的感受和細膩的筆觸，寫下社會的生態。她是擅於寫時代的女人。

她所處的，不管是中國或台灣，都面臨一個急激的變化。這使人和人的關係更加複雜，也更加尖銳，因此也導致各形各色的悲喜劇。社會和文學都在轉變中，林海音並不扮演一個開創者，她只做一座橋。

從前，有一位文學評論者，喜歡提出一些驚人的見解。他說某個文壇新星出現了，舊的作家，像葉石濤，都已過時了，只能做墊腳石。現在，二十年過去了，葉石濤還是屹立不墜，新星也沒有變成巨星。喧嘩和平實之間，應該如何選擇，是需要一點時間的。

金字塔並不是蓋在半空中。它是用一塊一塊的大石頭，紮實的堆上去的。墊腳石，其實也就是礎石，是金字塔的一部分。台灣的文學，一直沒有建立在穩固的基礎上，是因爲大家都想做堆在金字塔尖頂上的石頭。大家不知道要有更堅實的基礎，才能堆得更高，文學是多樣的，基礎卻是一種——從生活開始，正如繪畫要從素描開始一樣。

林海音把傳統文學的紮實基礎帶到台灣來。但是，在追求飛躍的文壇，她所受到的注意，除了《城南舊事》，似乎略嫌不夠。她的文學，聲光都不大，卻已樹立了一種典範。我們從她的作品，可以看到文學的莊嚴和尊貴。她能編，也能寫。兩者都使台灣的文學更爲充實。

林海音是一位直爽、敏銳，勇於力行的文壇長輩。她廣結善緣，敬重同輩作家，也鼓勵後輩。做人、做文學，她都一貫。由於她有這種特質，她一直走著平坦的路。她自己走這一條路，也帶著別人走這一條路。這是林海音，同時也是林海音文學。

婚姻的故事

雖然時代已經不是舊的時代了，但是在那個古老的地方，以及我結婚所要生活的那個家庭，母親多多少少也爲我準備了一些嫁奩：四鋪四蓋，四季衣服，四隻箱子，一盒首飾，以及零星的臉盆、痰盂、檯燈，甚至連馬桶都賠送了。

「送嫁奩」那天，家裡很熱鬧。媽媽請了四位全福太太給我縫被，媽媽是寡婦，不夠全福，但是眞正的全福太太都是洋學堂出身，祇會縫，不會唸喜歌，媽媽和王媽便在一旁指導，教她們一句一句的唸著、縫著、大家笑著，充滿了喜氣。是應當這樣的。

我的同學傅也來了，她比我晚一個月在天津結婚，特地來看看我的嫁奩和我自己設計的新娘禮服。我的頭紗是在王府井大街印度人開的力古洋行買的，頭花是在東安市場訂製的白緞玫瑰，禮服也是自己買了白軟緞設計請裁縫做的，加起來的價錢，比到紫房子去租還要便宜。傅驚喜的說：

「你給人做了幾次伴娘，都穿的是紫房子租的禮服，紫房子那個上海老闆，大概再也想不到你結婚卻不是租他家的禮服呢！還不氣歪了？」

我說：「是的，那個上海滑頭說，一件禮服要用三十碼緞子，我祇用了五分之一，才六碼。」

我們很高興的談著，我展示每樣東西給朋友和同學看。我很喜歡那對福建紅漆描金龍金鳳的箱子。打開來，傅連我的內衣手絹都一件件仔細的看了，祇要她喜歡的，她立刻就說：「我也要照樣做一件。」

雲舅舅是現成的大媒，今天他把嫁奩送到男家去。到時候了，媽媽把箱子蓋上，正要扣鎖的時候，雲舅舅連忙攔住她，對我說：

「不要鎖，交給我！我告訴你，英子，等車子快到他家的時候，」雲舅舅舉起右手，把大拇指和食指大大的伸開，然後用力的一打合，玩笑的說，「就這樣，卡達一下鎖住，你明白麼？這就叫鎖住婆婆的嘴呀！」

滿屋的人聽了都笑了。

雲舅舅很快就完成了這項送嫁奩的任務，因為事實上我們兩家相距不遠。當舅舅回來後，倒是很正經的對我說：

「英子，婚姻的事情，眞是不可預料，誰想到小小的英子，你會有一天嫁到這家有一個公公，兩個婆婆，八個兄弟的四十多口人的大家庭去做兒媳婦呢！老夏家雖然是個忠厚老誠的書香人家，但是無論如何，它和你原來的家庭生活是不同的，處處都要注意……」

事實上，雲舅舅說我將有兩個婆婆，還少說了一個呢！我將有三個婆婆；除了豫生的親生母親，還有一位被稱做二太太的姨娘，而名義上豫生又已過繼給他的五嬸做兒子了。不過五嬸不在北平，在他們老家南京，抗戰時死在四川白沙，這是後話了。我們一直是通信上的好婆媳。

婚姻的事，確是像雲舅舅所說的——不可預料。就拿媽媽的婚姻說吧，她是台灣北部小鎮上的一個乖巧而美麗的姑娘，爸爸則是另一縣分的人，他來到這小鎮工作，便娶了媽媽。爸爸娶了媽媽便帶她到日本去，在商業城的大阪，生下了我。小時候讀童話，常常遇見這樣的故事：騎著駿馬的王子，他在樹林裡遇見一個嬌小而美麗的女孩，他們共乘白馬從樹林裡馳騁而去，披著斗篷的王子的背影，在馬上顛盪著，馬蹄的得得聲漸漸遠了。……我便常常設想，那騎在白馬上的一對，便是爸爸和媽媽。媽媽的婚姻生活是多麼的有趣而新穎，在那古老的年代，她以一個平凡的女人便有機會隨著丈夫到外國去。

而我呢？誰會想到二十二年後，媽媽的女兒反而嫁到一個有著四十多口人的古老家庭去了呢！

媽媽也曾經有過兄弟妯娌姑嫂婆媳共同生活的經驗，但媽老實得要命，在我的婚前，她從不會像別人的母親那樣，以大家庭生活的種種經驗，向女兒教導一番。也許媽了解我是一個和她個性多麼不同的女兒；倔強、急躁、肯努力、也肯忍耐和合作的女孩子，但是惹翻兒了就什麼都不在乎。因此，媽大概覺得，對於這樣一個逞強的女兒，說什麼，她也不會聽話的，乾脆什麼也別說。而且，說實話，媽媽那一套「忍爲高」的老實經，無論如何，是不適合於我的。

這個古老的大家庭，是以公公爲主，聽說他年輕的時候，風流瀟灑，有個外號叫「夏布大褂兒」。這個外號是有著雙重意義的：一個意義是說，夏布大褂洗得潔白，熨得平貼，穿起來確是增加幾分瀟灑的風度。而另一個意義，表示那是出於一個賢淑主婦之手，才使得丈夫在外面那麼風光。

的確，婆婆是賢淑的舊式婦女典型。她雖然處於一個周圍都是讀書人的環境裡，但她卻是個大字不識的婦女呢！她們老妯娌五個，其餘的四位老太太，都是飽讀詩書的。不過婆婆也有本事，她一連生了八個兒子，打破夏家的生產紀錄，因此她倒成了妯娌中最有福氣的一個了。

這種古老的書香之家，是應當一夫一妻的，祇有公公，他娶了一個姨太太。當有不愉快的事情發生的時候，公公會向兒子們解釋說：

「我一生祇做錯了一件事，就是娶了姨太太，我不是眞要娶姨太太，祇是爲了和朋友賭一口氣。」

公公的言外之意，是要請婆婆原諒他這一點，他和兒子們講這些話，當然是希望兒子們能勸慰母親。事實上婆婆的確疼愛她的八個兒子，遠超過娶了姨太太以後的公公。兒子說的話，有時比老子管用。

在結婚以前，我和豫生的這一大家人，已經很熟了，我們兩家距離很近，時相往來。豫生在八兄弟中排行第六，可算是小兒子了。他的五個哥哥都讀了大學，有的還出國留學，但是自由戀愛婚姻，在他們兄弟之中，豫生還算是頭一個呢！所以在我們結婚的時候，婆婆有生以來第一次做了新式的旗袍穿，她以前都是穿裙子短襖的。

我們的婚禮是在協和醫院禮堂舉行的，那裡的氣氛我最喜歡。禮堂的台前階層上，裝飾著一列列的花草，一層麥冬草，一層各色的花。一條長長的紅地毯直通到台上去，這是舊式的規矩，新娘子要在紅氈子上走路。我穿著一身白緞新娘禮服，手裡拿著一束白馬蹄蓮，踏在紅氈子上，一步步走向台上去。那裡已經排列了婚禮上的重要人物：證婚人、介紹人和主婚人。媽和婆婆都穿著舊式的禮服，站在最新式的禮堂裡，再沒有比我們中國新舊禮節的摻雜更爲矛盾的了，但在一般人的眼光裡，卻認爲這是別有情趣的。

當晚回到家裡來，堂屋又擺了一桌酒席，我們新夫婦坐在首席，公公和婆婆卻坐在主人位子上。婆婆以一種正式的禮貌，向我們新夫婦倒一杯酒。這是第一次，也是最後一次我們接受長輩的敬酒。以後，在這家的生活，我就完全是子媳的地位了。

從豫生往上數，雖然有五個哥哥，但是祇有兩位嫂嫂——大嫂和二嫂。三哥已經死了，四哥、五哥都還沒有結婚，豫生是六弟，倒搶先了一步。

如果外面有人要問，爲什麼四哥、五哥還沒結婚呢？這個答覆豈不很簡單？四哥到抗戰的後方去了，五哥精神有些不正常，所以六弟先結了婚。那是很對的。

不過，在婚前我聽豫生談起他的家庭生活時，曾說過四哥是這家裡的維新人物，比如使弟弟們放棄家塾讀書的方式，而進入小學堂接受新式教育，是四哥主張的；又比如穿流行的白色皮鞋，是四哥開頭的。他是這家的革命者，因此從四哥起，父親也就不再爲兒女張羅婚姻之事了，完全讓兒女們自由。

我最初所理解的情形是如此。但是在婚後才漸漸發現，原來從四哥起，公婆所以給予兒女們的婚姻自由，是由一幕父母主持下的婚姻悲劇換得的，那是一個多麼沉痛的婚姻的故事，就發生在死去的三哥身上。

我很糊塗，祇知道三哥死了，並不知道還曾經有過一位三嫂，並且還有兩個孩子。

有一天，婆婆帶著大嫂整理箱篋，翻出來兩張舊照片，一張老早老早的，是在南京老家拍的，假山石前面共有三排人，二十多口吧，一看就知道是包括三代的大家族照片，壯年男子站在最後一排，中間坐的一排是老太太、少奶奶們，前面地上，盤腿坐了一群孩子，當然是孫子輩兒了。這還是前清時代的照片哪！男人們腰裡都繫著帶子，女人們的衣服，袖子中段鑲著幾道緞子，她們的口紅祇是在下唇中間點一點，倒眞是像掛著一粒小櫻桃似的。在這群少奶奶裡，我覺得婆婆最可愛，她圓圓的臉，眼睛雖然小，但很俏麗。

再翻看第二張，無疑的，是前一張的少奶奶們都升格當老太太了，旁邊坐的幾位，當然是下一輩的少奶奶們。服裝是又過了二十年，已經民國啦！

大嫂指點給我看照片上的人物，因爲那些伯伯嬸嬸們，都回南京老家了，留在北平的，祇有公公這一房，所以上面的人雖然都活著，但我卻不一定都見過。

數點到年輕的婦女們時，我看見一個濃眉大眼的少婦，她的風度不錯，很有學校出身的女學生的活潑味兒。我指著照片上的人問：

「這是誰？」

「這就是——嗯——」大嫂好像很難於啓口，但終於說了：「她就是三弟的——那個。」

「那個？那個什麼？是三哥的太太麼？就是三嫂麼？原來三哥結過婚呀！」我驚奇的不斷發問。

大嫂微笑點點頭。

「那麼她現在呢？」

大嫂又轉頭輕輕瞥了一下婆婆，見她沒有注意，才悄悄的對我說：

「回她娘家了。」

「哦，」我再注視著照片上的人，似乎明白了一些什麼，但是我仍忍不住說，「我覺得她很可愛，是不是？」

「我也沒有見過呀！」大嫂笑笑說。

是的，大嫂是續絃，她結婚的時候，三哥已經死了。

我想大嫂不願在婆婆面前提起這件事，自有道理，她是怕觸動了老太太的傷心。想想看，兒子死了，媳婦回了娘家，這一定是件不愉快的事，尤其對於這種家庭來說，還有體面的關係，所以更不是婆婆所樂意提的。怪不得，連豫生都沒跟我詳細談過。

這一年家裡一連辦了三檔喜事，我結婚後的一個月，豫生的七弟也結婚了，再過一個月，最小的九妹也出嫁了，娶進兩個，嫁出去一個，很合算，有增加人口的旺盛感，對於古老的大家庭是一件可喜的事。而且我們這兩個年輕的新媳婦也給這老家庭帶來新的氣象。

我最敬佩公公。我覺得在大家庭裡，家長的權威雖然很大，但是他的負擔也很重，大家尊重他，也依賴他，難怪他爲了三哥的婚姻的失敗，再也負擔不起這沉重的心情了。公公對我很好，他知道我很小就沒有父親，幫助母親扶養弟弟、妹妹讀書長大，是一個助人者，而不是依賴者。

這時二哥二嫂是帶了五個子女遠在上海，到了太平洋戰爭起來，二哥隨著工作的機關遷到內地去，便遣妻兒回到北平的大家庭來生活，這樣家裡又要增加六口人了。

爲了騰出房間，婆婆又帶了大嫂在整理。堂屋裡有兩隻紅漆櫃打開，裡面是些零星的針線籃呀，磁器呀，小孩玩具呀。大嫂一樣樣的撿出來。

我看到有些東西，如針線籃子，正是婆婆所缺少要用的，所以我便說：

「娘，這個您不是正用得著嗎？拿出來吧。」

「嗤！」婆婆對那東西不屑的瞥了一眼。

我不懂，疑惑的看著婆婆。但是最摸得清婆婆心理的大嫂立刻就明白了。她當著婆婆面向我笑笑說：

「是三弟的那位的啦！」

「哦——」我也明白了。

祇因爲三嫂在三哥死後回娘家改嫁，就那樣的傷了老人的心嗎？也可能，上一代的思想，是不能以這一代的現實去衡量的。但是我很奇怪，爲什麼婆婆允許三嫂把兩個孩子帶走？那是老夏家的血統呀！

二嫂帶著子女從上海回來了，我也正生了第一個孩子，人不舒服，不能下樓去，二嫂上樓來看我。她小小的個子，頭很大，有頭重腳輕的感覺，頭髮白了許多，愛說愛笑，是個活潑的小老太太，很容易和她熟。

雖然二嫂是這家的老嫂子了，但是婆婆並不頂喜歡她，我想有兩種原因，第一，她的嘴喜歡說，有時眞不客氣的頂撞婆婆，雖然她無惡意，頂撞的時候也是笑嘻嘻的。第二，婆婆有一個沒說出口的成見，她認爲祇有續絃的這位大嫂是她親自娶來的兒媳婦，意思就是說，是她親自去相看中意的，同時婆婆最疼老實的大哥。

我和豫生，以及七弟和七弟婦，甚至九妹和九妹夫，不用說，是自由的啦！但是最古老的二嫂，卻是公公訂的，因為公公和吳親家是讀書吟詩談學問的朋友，他們在外面就給自己的兒女訂了婚姻大事了。所以婆婆認為，除了大嫂，所有的媳婦都不是她娶的。形式上大家的生活一樣，但情感上到底不同些。

還有，婆婆是個愛美的婦人，她的審美觀念是女人應當白、細、富泰些。而二嫂，是黑、乾、瘦。

有了二嫂，家裡熱鬧多了，她的年紀比我的母親還大，她的女兒也和我一般大，我們是師大附小同學，可以說都是在琉璃廠長大的，沒想到有一天我做了她的親嬸母。

二嫂的肚裡老故事可多了，她講每個小叔子、小姑子小時候的笑話，嘴很損。我把豫生的笑話轉述給豫生聽，他說：

「你別聽二嫂的，她過分誇張！」

於是話題又轉到親戚頭上去了，豫生又講起當年怎樣給親戚們起外號，還有一個以前常來的親戚就是三嫂的表弟。他們大概很不喜歡那位表舅爺，給他起了怪難聽的綽號。

跟著我聽說的，是三嫂回娘家後就嫁給這位表弟了。

再進一步知道的，是說三嫂有表兄和表弟兩人，而三嫂自幼無父母，是姑父家養大的。再接著是說，她在婚前就和表兄還是表弟戀愛了。

那是可能的，和表弟有青梅竹馬的老感情，守寡後回娘家，便又嫁了表弟，這在旁觀者的眼光來看，也沒有什麼了不起。

三哥是得肺病死的，是那種年頭太普通、也太難治療的病。他們說，他病著，三嫂並不太服侍湯藥，常常回娘家去。

「唉！」有一天，看門的小李不知怎麼也和少奶奶們談起老話來了，小李從小就在這裡，是管拉馬車的，馬車的時代過去了，他管看門了。他歎息的說，「要結婚的那天早晨，我催著三少爺去理髮，他還不愛去呢！唉！」

小李的意思是指說，三哥對結婚並不感興趣，是無奈的。

這話觸動了我的疑問，我忽然想，三哥是肺病死的，他爲什麼不想結婚？可能他對自己身體的健康情形很明瞭，而父母之命又不能不遵從，雖然是個大學生，且外面的新潮流也早已被許多家庭所接受了，但這個家庭還是顯得緩慢些。而在三嫂那方面來說，她可能也被這個病弱的丈夫所苦惱，所以就常常回娘家去散心也未可知。

如果三哥在婚前肯坦白的對父母講講實際的情形，他們的婚姻也許可以延擱下來，情形可以轉變也說不定，他爲什麼不說呢？他讀的是當時自由氣氛最濃厚的北京大學呀！

又有一天，我們和二嫂再談起家裡的老故事——她有說不完的老故事，她取笑家裡的每一個人，婆婆也取笑她。

「是個禿子！嫁過來做新娘子是個禿子！」婆婆指著二嫂笑罵她。

那是眞的，二嫂自己承認，她嫁過來才十六歲，頭髮掉光了，剛長出茸茸短髮，不能梳頭，所以戴了一頂假髮。

我們想像二嫂當時的樣子，大笑起來，問她爲什麼？她說在婚前害了一場很厲害的傷寒，病好後，頭髮掉光了。

又談到孩子們，原配大嫂沒有生產就死了，所以二嫂的孩子倒是孫子輩的長者，他們的小名排列起來是：大毛，二毛，三毛，四毛，七毛。

「五毛六毛呢？是誰？」我想，可能和堂房兄弟的兒女們排叫的。

「就是三奶奶帶走的那個嘛！」二嫂回答說。

這時又觸起我一件一直不明白的事情，爲什麼讓她把三哥的兩個孩子帶走？在那個年月的這種家庭，並不作興讓母親帶了孩子去改嫁的，不像現在有那樣堂皇的法律條款；母親有權利把她的孩子帶在身邊撫育。我很想問問二嫂，她一定有一番道理的，但是我還沒張嘴，二嫂忽然深吸了一口香菸，說：

「兩個孩子眞像那個大搧風耳。」二嫂把兩手張在耳旁比著。

「像誰？搧風耳？」我們都不明白。

「眞像那表舅爺！」

「啊？」

我驚奇的喊著，這下子不用請教二嫂，解釋爲什麼五毛和六毛被帶走，我完全明白了！

我也可以想像出公婆的傷心和痛悔的心情了。這是一場毫無意義的婚姻，犧牲掉一個讀到大學畢業的兒子，帶來無可挽回的痛心！無怪他們二老再也沒有勇氣擔承下面的六個兒女的婚姻大事了。

我想豫生一定不喜歡我這樣寫著三哥的事，好在他難得做我的讀者，即使他看到了，也該想到我寫這些的意義，並不是爲找不到小說的材料，便把家裡的事抖落出去，而是深深的感到，在那新舊交替的時代，有多少這樣的婚姻悲劇？三哥的，不過是其中的一例。

新潮流來到的時候，青年們要接受它，但是有些舊的事物還不能放棄，才造成這樣的悲劇。如果他能完全接受新觀念，他便可以毫無考慮的離婚。三哥的生命不受打擊也許可以保全。而在三嫂方面，我們客觀的講，對她何嘗不也是一場抹不掉的傷痕呢？

我想，很可能三嫂在娘家和表弟戀愛，使得她的姑父不安，所以趕快把她嫁出去，以爲這樣就可以解決事情了，怎知道偏巧是嫁給這樣的三哥——在結婚的早晨才無精打采去理髮的新郎！如果她的姑父不以爲表姊弟戀愛是不應該的，而完成他們有情人成眷屬的話，那情形又該是如何不同呢！

有一天，一群年輕的女孩子，聽我講述這些古老的婚姻故事，她們都好奇的睜大了眼睛，聽得十分入神；一方面歎息那些不幸的人，一方面覺得那種事情怎麼可能發生？因爲她們距離那個時代遠了，她們覺得戀愛和婚姻是天生就自由自在的，沒想到有過這樣不幸的事，好像那是歷史小說中才有的。她們哪裡知道，這一代的戀愛和婚姻的自由，是由上一代的不幸者付出了代價得來的呢！這個代價是太高了，可惜的是許多人沒重視自由的可貴，而自由就被濫用了。也許是得來得太容易的東西，就不足珍貴了。可是同樣的，新的一代，也有新的婚姻悲劇就是了！

因爲大家庭生活，給我帶來了許多感觸，成了我一部分寫作的靈感的源泉。我要透過小說的方式，把上一代的事事物物記錄下來，那個時代是新和舊在拔河，新的雖然勝利了，舊的被拉過來，但手上被繩子搓得出了血，斑漬可見！

我曾寫過一篇題名〈殉〉的小說，是描寫一個舊式沖喜婚姻的不幸婦人的心理。自幼訂婚的未婚夫得了肺病，終於在病重時和她結了婚，是爲了沖喜的迷信。娶過來才一個月，丈夫死了，她便一生都留在男家，她雖然沒有以死相殉，但是這樣的生活著，也和死殉差不多吧。這篇小說雖然不是我們家的事情，但是我便以我們這大家庭做了背景，而且說實在話，也是三哥的事，給了我靈感，再加上另外曾和我在圖書館的同事怡姐的一部分實情，湊起來的。

「我還沒跟他好夠呢，他就死了！」

當我要寫怡姐的這段婚姻經過時，她的這句話又在我的耳旁響起了。怡姐是位女畫家，她年紀不算大，可是裝扮卻不入時，她不燙髮，不施脂粉，不穿高跟鞋。因爲不落俗，看起來倒另有一股清雅的風度。可是她那樣多病，一個人租了一間房子住，生活簡樸，也沒有什麼存儲，不然的話，也不會以一個畫家到圖書館工作了。

怡姐很愛說笑，這是因爲她怕寂寞。我們知道她很早就死去了丈夫，沒有子女，一個人這樣孤單。她畫蘭，幾筆濃淡相間的蘭草，是多麼清新，但她的心情，卻是這樣的沉鬱呀！

我們有一個慶生會，是個很寒酸的組織，遇到誰的生日，同室的同事不分男女，就買些燒餅包子來共吃早點慶賀。但輪到怡姐的生日，卻趕上是星期日，頭一天她就答應說，請我們星期日下午到她家去吃湯麵。她既然這樣高興，我們也願意湊熱鬧，她是這辦公室裡的老大姐，我們都年輕調皮，她說她受了我們的影響，一定要使自己年輕些。

等到我們去到她家，卻發現她躺在床上生病了，她說她頭疼欲裂，想要哭都沒有眼淚了。起初是她興致勃勃，要請大家來的，結果她卻病了。她不好意思的掙扎著要起來，卻被我們攔住了。但是她說她見我們來，病已經去了幾分，讓她起來吧，大家千萬不要走。

我們爲了使她快樂，便答應留在這裡，並且派代表出去買些方便的晚餐來吃，麵包和燻肉什麼的。

大家吃著談著，她的病確是好了幾分。她苦笑著說：

「恐怕我得的是精神病，昨天想到你們今天要來我這裡，興奮得失眠，今天頭就痛起來了。」

我環視這間雅致的房間——它並不大，但是擺著床、畫桌、餐桌、小沙發。一房兼數用，整個的生活就在這裡了。如果看見這樣擁擠著家具的屋子，人們一定會說，嫌小了些，可是她那一顆孤苦的心，擺在哪裡都嫌空曠了些，因爲她是形單影隻的！

屋裡的人說說笑笑，燈旁繞著煙霧，很暖和、很熱鬧，可是我卻敏感的想，等會兒這屋子人走光的時候，她是什麼心情呢？她會怎麼樣呢？坐在這隻沙發上沈思？還是站在那畫桌旁鋪紙作畫？或者馬上就攤開了被子睡覺？還是到廚房去獨自一個的洗淨這堆碗盤？我難以想像那寂寞的獨居的生活，因爲我從來沒有經驗過。即使是在父親死後和媽媽相依爲命的日子，我們也還有四、五個姊弟。結婚以後的大家庭更不用說了，就是偶然豫生有事遲回的晚上，我一個人坐在小樓上久了，也要跑下來和婆婆、嫂嫂說說閒話。我連住校的經驗都沒有，從來沒有一個人生活過。如果是我，晚上一個人怎麼過呢？和誰說話呢？像我這樣愛說話的人！牆壁嗎？日記嗎？我正呆想著，忽然聽見怡姐說話了，是在答覆誰的問題：

「就是嘛，我們結婚才一個月他就死了。」

「是什麼病？怎麼死得這麼快，這麼巧？」

「是肺病，老肺病了！」

「那你還和他結婚？」有人替她不甘願的說。

「就是爲了有病，才趕快結婚的呀！」

「哦——」有人明白了，但是有人還不懂，跟著又問：

「爲什麼呢？」

「是爲了沖喜呀！」怡姐轉過頭去向那稍微年長的同事說，「沖喜，我說了，張先生會明白，對不對？」

「沖喜誰不明白！」我也不平了，「是什麼年頭兒了，怡姐，你結婚不過是十幾年前的事吧，也都民國十好幾年啦，你還在結沖喜的婚，你怎麼就肯呢？」

怡姐苦笑了笑，沒說什麼，有什麼可說的呢？北方保守的風氣，還殘存在某些固執的家庭裡。怡姐起身到書架上去取什麼，拿來的是一本照相簿，她翻開了有結婚照片的那一頁。

「怡姐，是文明結婚的嘛！」大家異口同聲的說，大概因爲想像著沖喜的婚姻，以爲她一定是乘大花轎，拜天地，像戲台上娶新娘子一樣呢！沒想到怡姐也是穿著旗袍，披著紗，手中拿著花束，旁邊她那短命的他，穿著藍袍馬褂，巒清秀，倒也不像過了一個月就死掉的樣子。

「喏，」怡姐指著她的丈夫，「這就是死鬼。」

看著照片上的人物，怡姐沒講話，嘴角卻漾出了一絲笑容，她好像在等我們有什麼讚詞。她是在回憶那溫馨的蜜月嗎？難道那不是可詛咒的蜜月？

果然有個同事說話了：

「您這位先生看起來倒是挺好的樣子。」

「是呀！」她的語調帶著一些甜美的回憶的味道。

「怡姐，如果你在婚前知道他病重了，還願意和他結婚嗎？」我總是想探測人心的深處。

「我並不是不知道。」

「那怎麼不反抗呢？」

「我願意他好起來。」

「難道你沒有醫學常識？」

「但這是一種宗教般的捨己精神。」

「那麼你結婚以後，發現他的病是這樣沉重，你不後悔嗎？」

「我從來沒有後悔過。」

「你們的感情一定很好吧？」

「我還沒跟他好夠呢。他就死了！」

然後她舉起了照片凝視著，眞是個癡人之愛！

屋裡沉默了一會兒。大概每個人聽了怡姐的話後，各有不同的想法吧？有人歎息說：

「你們要有個一兒半女就好了。」

怡姐抬頭看了看說話的人，神祕的笑笑。當時沒有人理會她笑的是什麼。

直到另外的一天，我有機會單獨和怡姐談知心話，她才又提起了她的婚姻。

「我怎麼會有小孩呢，我到今天還是個姑娘。」

「哦！」我輕輕的驚歎著，她看著我，又笑笑，彷彿在等著我的反應。

「我想像不出這種夫妻，或者這種愛情的意義。」我這樣回答她。是眞的，我不明白。那樣短促、那樣不健康、那麼陌生的婚姻，竟能使一個女子一生跌入孤單淒涼的生活，而不在乎？是一種柏拉圖式的愛情哲學支持著她呢？還是中國女人的認命哲學根深柢固了？現在還有被這種精神支持的女人嗎？讓我同情她好呢？還是惋惜好呢？

但是我在〈殉〉的那篇小說裡，卻讓她以對小叔懷著微妙的感情來度過漫漫的長夜，這畢竟是小說。但怡姐，她難道就對任何的異性沒動過心嗎？眞的終其一生，那樣的一個月，就是她全部的愛情了？

怡姐也有痛苦，她的痛苦是失去了丈夫，而不是認爲那種沖喜的迷信婚姻方式害了她的痛苦。觀念最要緊，同樣的一件事，在不同的觀念下過活的人，就有不同的心情。

但我們家的三嫂，對於那種婚姻卻是以叛逆的精神採取實際行動。而怡姐，卻靠回憶那不著實際的一月新娘，做爲她一生甜蜜而又痛苦的生活。

怡姐又曾談過，她爲什麼這樣一個人孤苦的生活著。她的夫家雖然還有許多人，但屬於她的公婆這一房的，就衹有兩兄弟，怡姐的丈夫居長，還有個差幾歲的小叔。

怡姐到圖書館來工作，就是小叔的朋友介紹來的，她常常在言談中透露出，小叔的爲人是如何的好，而小嬸就差些。但是有時她到辦公室來時常常帶些零食，據說是小嬸派小孩子給伯母送來的，她常拿來分給我們吃。她有時也要我陪她下班後到街上去，爲小嬸的孩子買些小禮物，剪塊布什麼的。她最喜歡龍龍，她說龍龍長得像小叔一樣。既然是這樣的話，她們妯娌好像也處得不錯的樣子，爲什麼不住到一起呢？大家也好有個照應。因爲有時她匆匆的早退，便說是龍龍病了要去看看。小叔說是守舊禮，凡事要請這位寡嫂作主，把她高高舉起的供養著，弟婦便不高興了。怡姐說：

「我是被扔在舊時代裡沒逃出來的人，教我新，我也新不起來，但是弟婦怎麼肯呢？又比不得公婆在世的時候，婆婆是這一家的主婦，婆婆不在了，誰是主婦呢？雖然小叔守舊禮奉承我，可是，你們新規矩不是說『一個屋簷下不能有兩個主婦』嗎？我沒有了死鬼，也就祇好退居一步。搬出來也好，大家和氣些。」

因此怡姐就幽幽怨怨的獨自過著她一個人的日子了。

敏感的我，便把怡姐的故事加上我的幻想，融在我的作品中了。

在〈殉〉那篇小說裡的公婆的畫像，實在是以我的公婆做畫底的。婆婆吸水煙的姿勢，我在硬木桌前爲她搓紙媒的情景，寂靜的午後，度過那困乏的夏日，每天老王拉起天棚的那懶洋洋的樣子，都是以我家爲背景，在我執筆的時候一一走進我的作品裡來。

正是一個長日無聊的午後，我下樓來，到婆婆的屋裡，看看有什麼事沒有。我進來看桌上堆著剛買來要搓紙媒的表芯紙，我便隨手把它們裁成紙條。

「喂！我說，昨天這個人有沒有去？」

「嗯？」我抬頭看婆婆，因爲我不知道她在說什麼，看到她翹起小手指，我忍不住笑了，「姨娘嗎？她去了，和爹在一起嘛！」

「嗤！」婆婆一聽我說，便又習慣的不屑的一聲。

婆婆雖然很大年紀，也滿堂兒孫了，但是對於公公的姨太太也還是時常要拈一拈酸。她很有趣，從來對姨娘沒有正式的稱呼，對兒子、媳婦們談到她，婆婆總是那樣不屑的、調皮的翹起了她的小指頭說：「喏！這個人！」就是和公公講到姨娘的時候，也是說：「叫那個人給你收拾嘛！」

有一次，公公從外面回來了，姨娘不在家，他到堂屋來找婆婆，他像孩子般對婆婆說：

「有什麼吃的嗎？大師傅灶封了，她也不在家，我還沒吃飯哪！」

婆婆不吃大廚房的菜，她總是有自己的私房菜，因此哪房來了客人，或者兒子回來晚了，都到老太太這裡來尋吃的，公公當然也不例外。我明明記得那天婆婆煮了火腿湯，但是她卻說：

「我也沒什麼吃的了。」

公公很失望，誰知婆婆又報復性的冷笑說：

「這才叫三個和尙沒水吃哪！」說完她向我們擠擠眼睛。她的意思當然是指公公娶了兩個老婆，卻落得一頓晚飯都吃不上。

婆婆淘氣的神氣使我忍不住想笑了。公公饒著沒得吃，還被婆婆取笑，他無可奈何的剛要走出去，大嫂連忙說她可以給公公做些吃的，誰知婆婆已經起身到食櫥裡端出了那鍋火腿湯。她沒別的意思，就是想藉機會也刺傷公公一下，因爲她所受的是多麼大的刺傷啊！家裡有了姨娘這個人物，連帶著，婆婆有成見的不喜歡任何人家的姨太太。

今天婆婆說：「這個人去了嗎？」便是問我姨娘是不是也到趙家去弔喪了？

親友家有了喜慶的事情，除了幾家姻親以外，婆婆是不出席的，通常都是我們兄弟妯娌輪流去，要看對方的情形而看派哪一個去才合適。但是去弔喪的事，婆婆便不願意讓我和七弟媳去，因爲我們倆是新兒媳，祇許沾喜氣，最忌沾喪氣。可是這回卻例外了，因爲趙老伯是我們結婚時的證婚人，他死了，我和豫生當然要去弔祭。

我告訴婆婆，公公在趙家撫棺大哭，因爲趙老伯是公公的好友，他是民國以後，少數還活著的一位前清的進士。公公有些地方很能接受新思想，也樂於降服。但朋友總是老的好吧！公公跺腳哭得臉脹紅了，大家很擔心，怕他血壓高，感情激動會出事，幸好浦大夫也去弔喪，順便給公公吃了些藥。

婆婆聽了我報告公公的情形，她好像並不在意丈夫的血壓高不高的問題，卻問我：

「趙家老頭子的這個人呢？」她又舉起手來翹起小指頭。

不用說，這又指的是趙老伯的姨太太了。趙老伯的原配老妻已經死去多年，他的姨太太也就等於大太太了。我告訴婆婆說，趙家的姨太太也哭得死去活來呢！

婆婆沒說什麼，嘴輕輕的撇了一下，透著對於姨太太那種不屑的神氣。其實，趙姨太太實在不錯，每次來了，都先到婆婆房裡來禮貌周旋一番，才到姨娘房裡去。她的出身和我家姨娘不同，她是當年江南的名妓，姨娘卻是城南遊藝園唱老旦的坤伶，一個沒落旗人家的姑娘，跟公公那年才十九歲。

另外還有一位鼎鼎大名河南才子的姨太太，也是常常隨了她的丈夫到家裡來的，她最年輕，豐腴豔麗，婆婆背地裡叫她「大美人兒」。婆婆表面上和和氣氣的應付她們，我知道無論這幾位姨太太怎麼對婆婆尊敬，婆婆總是有成見的說她們：

「還不是一路貨！」

讀羅素名著《婚姻與道德》一書時，很欣賞他對於近代婚姻分析之精闢。書中有一小段談到婦女解放以後的婚姻困難，羅素說：

「婦女解放很多地方都使婚姻更加困難，從前做妻子的將就丈夫，但是丈夫卻不必將就妻子。婦女有她自己的個性與權利，如今許多妻子根據這個理由，過了某個程度，就不肯拿自己去將就丈夫；而在男子，仍企求從前以男性為主的傳統辦法，不能了解爲什麼他們應當完全將就女子。」

不錯，就拿娶姨太太說，我們這一代的婦女，就想像不出我們的上一代的婦女，怎麼能夠忍受丈夫的那種行爲。有人認爲一定和丈夫沒有愛情，才能忍受除自己之外再容納另一個女人。這話不太對，我以爲她們忍受的是環境和當時社會的傳統，而不是眞正不對丈夫再有愛情。我的婆婆雖然依了當時的環境和她的觀念，接受了另一個女人——姨娘，共同走進丈夫的心房，占據了一處地方。但是她內心中，並不是眞的那樣大方。丈夫的心不像別的東西，不能隨便施捨給別人，婆婆是舊時代的女人，但是愛情是獨占的，古今一樣。

我這樣瑣瑣碎碎的寫著婆婆對於姨太太表面的大方，而藏隱於內心的惡感，就是要說明上一代的婦女和我們一樣，是要整個占有愛情的，所以假大方，衹是當時社會環境沒有給她權利反抗，是衹憑道德的，但是道德心卻從觀念產出，當時的觀念既是容許多妻，那麼他沒有什麼不道德，她又有什麼權利去干涉那並未認爲不道德的事情呢？

給我印象最深刻的，還是同學傅的母親的故事。

我寫過一個短篇小說〈燭〉。內容是說一個老婦人因爲丈夫娶了姨太太以後，她雖然表面假裝大方，內心卻有無限的痛苦，她裝出病弱，一方面是爲了引起丈夫的注意，好給她一些溫存，一方面也是藉病來折磨丈夫和姨太太。她原來的病情並沒有那樣嚴重，但是因為成年癱在床上，三分病，竟弄成十分癱軟了！她活了一生，癱了半生，祇為丈夫娶了姨太太！

寫這篇小說，是在看了一部電影後給我的靈感。電影中有一段描寫一個女人為了要引起丈夫的愛憐，她假裝病，整日坐在輪椅裡。當她丈夫不在家的時候，她卻在房中走動著，到窗前去張望，一聽見丈夫回來的聲音，她就坐回到輪椅上。這樣企求愛情的辦法是多麼可憐啊！

看完這部電影後，馬上就使我想起了多年前的一個老婦人。她癱臥在床上的情景，頗有相似之處，那便是傅的母親。

我和傅是在初中二就開始同學的。初次到傅的家去，她給我引見了她的母親——在床上。

應當是一間很明亮的北房，但是在紗帳深垂下，長年睡著一個老婦人，就顯得那麼黯淡。

「傅伯母！」我站在床前鞠躬喊了一聲，她見有人來，高興極了，探起半個身子來。原來她的頭髮都掉光了，牙齒也脫得一顆也沒有，卻有一張白胖的臉，笑瞇瞇的咧開了沒有牙的嘴。那樣子彷彿很怪，又彷彿很可愛。怪的是她的光葫蘆頭，可愛的是她的彌勒佛般的笑容。

傅告訴我，媽媽病癱了，長年躺在床上。傅是最小的女兒，她的上面還有四、五個哥哥，一位嫂嫂，和一位通稱「蘭娘」的姨娘。從傅很小的時候，母親就癱在床上，爸爸也早已故去，所以他們兄妹可以說都是蘭娘帶大的。蘭娘很卑屈，當時我不過是一個十三、四歲的小女孩，她也一直叫我「林小姐」，叫到我結婚生了孩子。我也隨著傅家的人叫她蘭娘。

去熟了以後，傅伯母也跟我的同學們一樣，叫我的外號「小林」。她笑瞇瞇的說：

「小林來了嗎？來吃綠豆糕。」

她老了，像孩子一樣，喜歡吃零食，床頭那個角落裡，堆了許多磁罐之類的東西。那個黑暗的床角落，蚊帳和枕邊，全是油漬與污點，我眞不喜歡，但那卻是她全部生活的所在地。在那堆東西裡面，總缺少不了一個小小的蠟燭，那對於她生活的意義不知是什麼？因爲她常面向裡，點燃一根小蠟燭，照亮著她那個生活的角落，窸窸窣窣的好像在做些什麼。其實她並沒有做什麼，祇是捏著那燒軟的燭油在玩呢！

我想她點蠟燭的心理，最初一定是爲了夜晚的方便，因爲她不能起來；後來卻爲了排遣寂寞吧？因爲她在床上毫無娛樂。所以她也最喜歡有親友去，女兒的同學去了，她尤其高興，床頭如果沒有零食，一定拿了錢叫蘭娘去買給我們吃。

蘭娘，雖然和藹而卑屈，但是她黑黑瘦瘦乾乾，看了那類型的半老的女人，我總覺得她是苦命的人。蘭娘算不算苦命呢？她給人家做姨太太，丈夫早早死去，自己沒有兒女，還要伺候著主母和一家人。

我有時也會奇怪的想，娶姨太太不都是找年輕美麗的嗎？照我看來，癱在床上的傅伯母，以前一定是一個比蘭娘美麗的女人。傅的爸爸怎麼娶個不漂亮的女人做姨太太呢？

暑假的時候，我常去找傅，再和她出去找別的同學，或上街買東西。有一次，我們倆剛走出屋門，就聽見傅伯母在屋裡喊：

「我暈——我暈哪！三毛子。」

三毛子是傅的乳名。我聽了嚇一跳，說：

「看伯母怎麼啦，在叫你！」

傅皺起了眉頭，不耐的向屋裡喊說：

「一會兒就回來的呀！」

我很害怕說：「我不去了！」

「走吧！她喊了十幾年啦！」傅對我說，「她不願意我們出去，就喊頭暈嚇唬我們。」

但是我當時總是覺得不很合適，我不能想像有這種事的。

但是到傅家去慣了以後，我漸漸覺得傅所說的確是不錯，傅伯母眞的並沒有那麼嚴重的頭暈症，她完全像兒童教育書上所說的某一類問題兒童一樣，是爲了要引起父母的注意而做出過分的、撒謊的，或虛假的舉動，因爲孩子受到的「愛」嫌不夠。而傅伯母和兒童剛好相反，她是希求兒女們多給她點兒「愛」吧！但是她躺在床上太年久了，家人怎能像對待病人那樣的對待她，因此老太太竟犯起小孩子的毛病來了。

我一直理解都是這樣的，所以後來我去找傅的時候，聽見傅伯母喊頭暈，也和她家裡的人一樣，覺得稀鬆平常了。

等我眞正知道傅伯母的病因，卻是在傅伯母死後的事，距我和傅相識已經是十五、六年時間了，我和傅都已做了兩個孩子的母親了。

傅在婚前便已經到天津去做事了，所以那一陣時間，我便很少再到傅家去，除非她從天津回來看母親，約我們老同學到她娘家去玩。

偶然到傅家去，看見傅伯母的生活依舊，祇是蚊帳和床被更不整潔了，但老人家還是高高興興的，因為床邊多了兩個「肉上肉，疼不夠」的外孫了。

蘭娘呢，還是老樣子，和傅伯母相依為命，整天為這床上的老姊姊倒屎倒尿，端茶送水，並且忍受那位不可侵犯的兒媳婦的氣。

傅每次從天津回來，都會先寫信告訴我，於是我便先約會幾個要好的同學，定了聚會的日期，大家談到深夜都不肯離去。有了傅的聚會是特別熱鬧的。

這一天，傅意外的來了，看了她頭髮上插了一朵白絨繩花，嚇了我一跳，我不敢開口問，傅就說了：

「母親死了，我來奔喪。」

「啊——我怎麼不知道。」

「沒有敢驚動朋友，是很簡單的，所以等喪事辦完了我才來——」

我忍不住有些哽咽：「你應當告訴我，伯母對我眞不錯，我也應當——」我說不出來了，鼻子酸酸的，落下淚來。

我和傅都沉默著，我回想這位十幾年來衹有一個姿勢——躺著——面對世間的老婦人。從我第一次看見她，到她死，這中間，人世間有多少變動？但是她卻沒有。這樣的一生有什麼意思呢？可是她卻活到六十七歲。也許死對於她是一種解脫吧，但是還有一個活著的蘭娘呢？蘭娘將何以堪？

「蘭娘呢？」我不由得問。

「五哥不是已經過繼給她了嗎？五哥在四川早就來信說要接蘭娘去，現在，她可以去了。」

想到蘭娘的歸宿，倒也爲她高興，希望傅的那位五嫂不像這位嫂嫂那樣待她就好了。我不由得對傅說：

「伯母這一生總算因爲有了蘭娘，才過得還不錯，有哪個姨太太肯一輩子伺候一個癱子大太太的呢！」

可不是，傅是親女兒，又該怎麼樣？不要說結了婚走得遠遠的，就是在家的日子，也「久病無孝子」的並不把母親的病當回事，每次和母親說話都是不耐的急扯著臉，我親眼看見的。雖然女兒畢竟是女兒，總是嬌慣些。唯有蘭娘，我想不起她不愉快時是什麼樣的臉色，因爲我從來沒見過。

我和傅又談著她母親的病，她感歎的說：

「其實她當初並沒有眞的那麼病重，祇不過是和父親賭氣就是了。」

「爲什麼呢？」我問。

「就是爲了父親娶了姨娘，所以她就三分病做成十分的賴在床上不起來，結果假癱變成眞癱。」

「眞的是這樣？」我驚奇的問，我是第一次聽到這樣的話。

「是的，我恍恍惚惚的記得，她癱了，可是晚上卻起來給我蓋被子，白天她卻又在床上不能動彈。」

「啊?!那是爲什麼呢？」

「總是要藉此折磨父親和姨娘吧！」

「眞是想不到的事情。」

爲了一個男人，兩個女人過了這樣的一生，這是多麼奇特的事情呢？她們共同的目標死了，留下兩個殘弱的女人，本來是敵對的地位，反而變成相依爲命了。先是一個女人搶了（固然不一定是她主動的）另一個女人的丈夫，後來兩人共同的丈夫死了，她反而伺候爲她而殘廢的女人一輩子。當她們老姊兒倆談舊日往事的時候，會說些什麼呢？如果知道有這樣結果的話，傅伯母又何必當初呢？但是她又怎能知道呢？

像這樣的情形，能說舊式的婦女都內心滿願意她們的丈夫娶姨太太嗎？含在內心忍受的嫉妒之情，是多麼的痛苦啊！

當我在寫那篇題名〈燭〉的小說的時候，雖然故事情節內容是虛構的，但是在燭光搖曳中，那黯淡的床頭，污漬的蚊帳，傅伯母的禿頭，沒有牙齒的笑容，蘭娘黑瘦的身影，女兒不耐的神氣，兒子無動於衷的冷淡，都一步步走進我的筆端。

人生有許多事情是浪費的，是沒有什麼意義的，但是它卻這樣長久的持續著，婚姻的事也是一樣。但願活在世上的最後的蘭娘，過一段比較有意思的生活吧。也許我這樣說，並不是蘭娘的心意，她和傅伯母相依爲命而習慣的生活了一輩子，突然起了大變化，對於蘭娘，也許反倒是一件空虛的事呢！

姨太太，是某些時代很自然的產物，給男人們寫下了多少艷麗的人生的史章，他們多得意！但是也唱出了不少人生悲歌吧？

豫生便常常說，他們家的人都老實得很，連在他們家當姨太太的，都比在別人家的地位高。所以豫生就是他家裡最不老實、最不服氣的一個了吧？他常常板著鐵青的臉，視若無睹的面對著姨娘，有時連我都覺得難爲情。姨太太的罪過大呢？還是你父親的罪過大呢？我每逢看見豫生這副爲母親不平的面孔，心中便會暗暗的自問。當然，我畢竟是外面來的人，多少是比較客觀的。

表面上看起來，姨娘在我們家是一個過得最舒服的人，她沒有兒女，來去自如。因爲她的娘家還有一位七老八十很健康的老母親，有時她便扔下老頭子回娘家去住上十天半個月，也沒有人攔阻她。她是旗人，飲食習慣是和南京人很不同的，公公要吃火腿，要吃薺菜，她卻要喝豆汁，要吃芝麻醬麵。她回娘家，爲了陪老母親，也多少為了老媽媽可以給她做些想吃的東西。有時我下樓來正遇見她要走了，我說：

「姨娘要出去？」

「對啦！回家去住兩天。少奶奶，來玩吧，我做芝麻醬麵給你吃！」

我嚥了一口口水，眞糟糕，我是生在海島上的人，出生後最初的飯食是腥的海魚，圓粒的稻米，但是現在我卻也是個吃麵專家了，酸豆汁也使我胃口大開！

姨娘高興時也許來到堂屋裡，告訴婆婆說：

「老頭子交給你了呵！我走了！」

說了她就飄然而去，婆婆看著她的後影，對我們滑稽的冷笑一聲，那意思是：「你們瞧瞧！瞧見了吧？」

於是，到晚上，公公從中山公園的春明館下了圍棋回來，就會先被婆婆玩笑一下「三個和尙沒水吃」，再給他端出火腿冬瓜湯來。

當然，說起來，婆婆仍是屬於忠厚寬大的一個，有時姨娘鬧起小脾氣來，婆婆也祇有以冷笑來容忍，倒是姨娘看見鐵青的六少爺，就多少冷靜一些。大家都叫「姨娘」，唯有豫生對她沒稱呼，如果大家談起姨娘來，他總是隨著外面的客人或傭人說「二太太」，彷彿那不是他家的人，他是站在第三者的立場了。其實那又何必呢！

自從嫁給公公，姨娘不再唱戲，就是連嘴裡隨便哼兩聲都難得，偶然的偶然，聽她在樓下逗著貓兒玩時唱兩句，也不過是「兒的父，去投軍……」的青衣腔，而不再是她原來的「叫張義，我的兒……」的老旦腔了。她也不喜歡——絕對不許——人們再提到她過去唱戲的那一段。

我結婚後不久，正是姨娘四十歲生日，公公爲她寫了一張單幅慶賀她。公公的詞賦名著一時，他的寸楷字也最好，寫在那張灑金的紅紙上，太漂亮了！

那篇賀詞上面的稱呼，是親暱的取姨娘名字中的一個字，下面加上「姬」字，說「曼姬」在怎樣小的年歲就跟了公公，然後怎樣聰明的學習著那些文雅的事——讀書，作畫，習字等等，怎樣是他老年來的一個伴侶。

姨娘當然很高興，把條幅掛在她的客廳裡，不時的欣賞。我們妯娌幾個呢，也非常捧場，我們合送了她禮物，給她拜壽，也站在那裡欣賞公公的風流文采。

婆婆，也大大方方的向姨娘道個賀，當然，她不像我們是到姨娘屋去的，而是坐在堂屋裡，等姨娘來答謝她送的禮物時，婆婆才順便的賀一賀。

幾位寶貝兄弟彷彿又比我們妯娌高一等了，他們是集體等到吃晚飯時才向姨娘拜壽的。他們沒有一個嘴裡痛痛快快、清清楚楚叫出「姨娘」兩個字的，祇是混沌一片的喊著：「拜壽啦！拜壽啦！」

壽酒擺在堂屋裡，姨娘房裡也有她的那些姨太太朋友們來玩。有了客人，婆婆總要作面子，她忙著告訴僕婦給客人送點心、送茶水，就彷彿那是她親妹子的生日，不是她的情敵的！眞的她內心這樣平安嗎？

也幸虧婆婆是一個不識字的老婦人，她不能讀她的丈夫給另一個女人的最珍貴的生日禮。我想起來了，出現在公公的著作中的人物，曼姬是有不少次的，公公每年回一次南京老家，總是帶了姨娘去，遊山玩水的詩詞裡，當然處處都是「攜曼姬遊」了。公公的詩詞文章裡，也偶然提到婆婆，我讀到過，他管婆婆叫「健婦」。

記得一次中秋節的晚上，家裡有拜月的禮俗，當供在明月下的水果、月餅撤下來以後，全家人都擠在婆婆的堂屋裡等著分吃的。孩子們最高興，因爲還有供桌上的泥製兔兒爺可以取走。

北平秋天的水果正上市，供桌上有青色的柿子和鴨梨、棗、栗子、蘋果、葡萄，大家都分了一些。最重要還是那個面盆大的月餅。看我們怎樣的分這個大月餅！家中每逢要分些什麼的時候，不是按人頭，而是按房頭。一個大月餅，切成許多角，每房衹分一角，大哥這房雖然有兩夫婦和五個孩子，衹是分得一角，我們衹有一個孩子，才三口人，也是同樣的一角。

七弟婦是家中一位又新又能幹的少奶奶，但是她那份逞能勁兒，也常常做出缺心眼兒的事體來。分月餅，最好由大哥來動手切，大嫂來分，但是七弟婦搶著做，她一份份的拿給各房的人，並且清清楚楚的交代著：

「大嫂，這是您的，二嫂，這是您的，六嫂，這是你們的（我是嫂子，歲數卻比她小，所以「您」免啦！）。」

「好的。」我接了過來。

「這是爹的，這是娘的。娘，」她對婆婆說，「五哥跟八弟的，可都在您這份裡了呀！」因爲五哥和八弟都未婚。

婆婆裝糊塗：「什麼？」她看看那一份份的月餅說。

七弟婦眞以爲婆婆沒聽清楚，她又怪能幹的說一遍：

「都分好啦！這是您跟五哥八弟的，這是爹和姨娘的，喏，張媽，給老太爺和二太太送去。」

「嗤！」婆婆這不屑的一聲，一定表示這裡有什麼毛病，但是她不明說。我呢，在這方面，心眼兒也不夠玲瓏剔透，我想，也許婆婆認爲五哥和八弟應當各分得一角，不應當和在母親的一角裡，因爲他們都是大人了，也應該各算一房頭吧？因爲就連寄居在家裡的姪孫子小熊，還自己分得了一角呢！所以我也逞起能來，糾正七弟婦的錯誤說：

「五哥和八弟，你應當各給他們一角，連小熊都算一房頭呢！」

「嗤！」婆婆又是一聲。

二嫂在吃吃的笑，她一定明白是怎麼回事，她是看透婆婆的不滿的心情了。這時還是大嫂溫和的說了：

「你們不明白呀！這是個團圓餅，應當爹和娘合吃一塊，單給姨娘一塊，就對啦！」

「喲——！」我們恍然大悟，全屋人不禁哈哈大笑起來。

「嗤！」婆婆又是一聲，但是這一聲卻是表示說：「就是這樣嘛！」

於是張媽去請了公公過來，在婆婆的那塊餅上切了一點給公公嘗嘗，合吃一塊的意思就算達到了，它象徵著團圓嗎？可是那夠多麼的阿Q呀！

淪陷時期的日子漸漸的不好過了，遠在後方的二哥、四哥都斷絕了消息，二嫂的五個子女病倒了四個，後來陸續的死去三個，眞是讓人痛心。跟著八弟也痰中帶血，姨娘也據說是肺病，衹有兩個老人是健康的。

爲什麼大家庭裡的肺病患者是這樣多？有人說，古老的房屋，一代代的傳下來，病菌在房裡醞釀著，繁殖著，卻從來沒有被消滅過。

姨娘的病，事實上也許沒有那麼嚴重，她不咳嗽、不吐血、不瘦、不委靡，就好像好好的人躺在床上懶得起來一樣，我看她祇有三分病，七分是對公公的威脅，她照常回娘家去吃芝麻醬麵，把公公的生活管理整個扔給婆婆了。

那個時期，公公肩頭上的負擔可以說是最沈重了。

生活沒有那麼愜意了，家裡總是些令人頭痛的事，老朋友又漸漸的老死，公公一定很寂寞。他除了在大學裡教幾點鐘詞賦的課程，老來反而學起畫來。桌上擺著《芥子園畫譜》，他的作畫的興趣也蠻濃厚。後來畫得興致高了，也在畫上題上「枝巢老人時年六十九」等字樣。

枝巢老人是公公在六十以後作詩著文的署名，我從來沒問過他起這名的意思，但依我想，也許是取古詩十九首中「胡馬依北風，越鳥朝南枝」的意思吧？他是南京人，卻進京落戶有四十多年了。聽說當北伐完成後，公公自宦海引退，曾有全家南返的意思，但是在北京太久了，延續了第三代子孫，好像由動物變成靜物，又變成植物——簡直扎了根了，怎麼動彈得了？

公公比婆婆還小。公公的生日是農曆四月，在北平是可愛的月份，他七十歲到了，應當由兒女來做大壽，因為夫妻都活到七十歲可說是「白首偕老」，又何況是兒孫滿堂呢！但是公公不肯，一方面是由於當時外面環境的惡劣，而大家庭裡病弱的人又是這樣多，他提不起興趣來。不過爲了親友們這樣注重這件事，他想出了一個辦法，生日那天在中山公園的水榭，舉行一次詩畫展覽，展覽的是朋友們送他的賀禮，這賀禮全部是專爲公公生日而寫作的詩詞字畫。公公也體念兒子們的艱難，祇要我們預備些清茶點心招待客人，並且把他的著作《枝巢四述》贈送給每位客人。公公喜歡崑曲，水榭的廳堂裡，滿壁書畫，廳堂中央擺上方桌，公公和朋友看著本子在吹笛吹唱。水榭外流水潺潺，岸上垂著楊柳，山石堆砌的小道蜿蜒而上，描繪出上一代讀書人的雅集圖來。但是這樣的雅集，在公公這一生，恐怕是最後的一次了，就是對於我們這一代所能再見到的，也恐怕是難得的了。

外表看起來，我們的古老的大家庭，彷彿很旺盛，實在它在漸漸凋零、散落。家裡病的、死的不用說，後方又傳來了四哥病在重慶的消息。這消息一家人都知道，卻緊緊的瞞住婆婆一個人。不識字的人確是容易哄騙一時，但是後來的許多年，甚至在勝利以後，她都沒有再提起四哥，我相信，在冥冥中她已經有了第四個兒子已不在人間的感覺。

我曾經說過，四哥是這家的革新者，他到法國留學，生活習慣也有些洋氣，比如他和父親明算賬的故事，就是我們這舊家庭的一件新鮮事。

四哥那時在南京交通部工作，公公每年南返一次，當然四哥要照顧父親，有一天外出回來，公公忽然想起什麼來，問四哥有沒有錢款的事，四哥便回答說：

「沒關係，我可以從您在南京的那筆錢扣下來還我。」於是他就一筆筆的和父親算起賬來。

一生對於金錢不太關心的公公，看見兒子跟他算賬，心中有點不痛快，回北平來的時候，便像笑話樣的告訴婆婆說：

「老四跟我這老子明算賬咧！」

其實他也明瞭，他的第四個兒子是家裡唯一的不依賴家庭的好兒子。他處處新，卻是祇有一樣，婚姻的事他可新不起來，雖然留學多年，他也不會追求女性，而自三哥以後，父親又痛悔說過，不再爲下面的兒女主持舊式說媒的婚姻，這樣，四哥一直到死，都是獨身的。

就是連下面的五哥，也因爲在法國暗戀一位小姐，人家連影兒都不喜歡，他就單戀成瘋了，四哥不得不趕快把他送回國來。五哥是學藝術的，可惜他藝術的意境是這樣高，竟因爲無法對一個所愛的女子吐露欣慕之情，連帶著藝術的生命也完結了。

在我和豫生結婚後，五哥的病態雖然未見減輕，但是也還舉行了一次素描展覽，在中山公園的春明館。他用一種棕色的炭筆勾畫出來的一張張裸體人像，我雖然不懂畫，但也感覺那筆觸之美。可憐年邁的母親，她並不懂得兒子畫那些「光眼子」的女人是什麼意思，但是爲了捧兒子的場，她難得的也到春明館展覽場去風光了大半天。

婆婆出門是罕有的事，因爲她年紀大，身材矮胖，而且纏了足，行動很不方便。就是在家裡，她的地理環境也不過是西院大哥房裡，和東跨院的廚房裡。她要出門，前三天就要把衣服準備出來，水煙袋刷洗得亮晶晶的掛在門邊，她不能坐洋車或汽車，一個太高，上不去，一個太矮，坐下去起不來，她祇有乘馬車最合適，但是那年頭平常出門已經很少很少乘馬車的了。

在我婚後所見到的五哥的生活，是日漸的接近精神病患者的姿態。他沒有什麼個人的朋友，祇有兩位藝術家一年總要來看他兩次，他們也都是屬於那不修邊幅的人物，其中有一位是本省的郭柏川先生，他應當很記得五哥吧？他不承認五哥是瘋子，他竟說五哥正是藝術家的本質呢！

婆婆總認爲五哥是到了那個鬼外國才害成這樣。老年來的婆婆，該是最痛苦的了，結婚成了家的，自顧不暇，她七老八十了，身邊還要照顧著一個瘋子、一個吐血，這樣兩個兒子的日常生活。

我有時回到娘家去，向媽媽敘說著婆家的近況，誰不為這曾經輝煌、融洽的大家庭歎息呢？但是如果我們把眼光放遠些廣些的話，這樣日漸凋零的大家庭，我們的親友間也比比皆是，用不著歎息自己。時代不是那個時代了，北平還算是最後一個保守風氣的城市呢！其實在南京的那個大家族，已更早一步的崩潰了。可悲痛的是公婆的這一代，他們是最後見到他們的傳統被新時代所消滅的人。這原也不算得什麼，公公很開明，他從未留戀不捨他的時代，我說過，他也樂於降服，祇是他們二老老來的生活並不安定，如果我們做子女的，不昧於良心的說，那是我們奉養者未盡到責任啊！

我每次生了小孩，在滿月後都要回娘家去住一陣，這在北平叫做「挪騷窩兒」，我把「騷窩兒」挪到媽媽身邊了，尿布和奶瓶便暫時要把媽媽整潔的生活秩序擾亂了。我也可以像姨娘回娘家那樣，請媽媽做些我喜歡的菜吃。

家裡來往的，又是一批媽媽的朋友了。最近沒有見到七姨，媽媽說她病倒了，患著嚴重的腎病，渾身都浮腫著。

七姨，並不是我的姨母，她祇是母親在朋友家認識的，人家叫七姨，我們也跟著叫。她和母親很好，因為她也是年輕守寡，帶了一兒一女，那樣的孤單無依，和媽媽的情形類似，她們很容易的成了朋友。

七姨矮矮白白胖胖的，和媽媽同樣的體型，看來她很樂天，也和媽媽一樣。她是揚州人，來了總要和媽媽逗一逗：

「乖乖，沒得牌打，你就頭疼咧！」她一口揚州腔，非常風趣。

她來了，很熱鬧，講著古老的故事，唱著她的揚州小調，她也作詩和塡詞，但是據懂詩詞的朋友說：「七姨的詩不怎麼樣！」那又有什麼關係呢！

在我的印象中，七姨是健康的，她愛說愛笑，本是心廣體胖的體態，如果她病了，渾身浮腫著，是個什麼樣子呢？而且，她怎麼能夠病呢？兒子到抗戰的後方去了，女兒嫁出去情形不好又回娘家來，她是不能夠生病的呀！

有一次，七姨在我家喝酒閒談中，曾和我談起她的婚姻。她說當初同時來說媒的，有兩家人，不知怎麼一轉念間，她的父母把她許配給李家了，使得她不幸早早的守了寡。而另外的那個男人，卻出洋留學，回來做了很好的事。她說這話的意思，很有些感到命運的不濟，同時也還頗有仰慕那位留學生的意思。這是七姨有虛榮心嗎？不是的。實在是一個舊式的女子確是要「在家從父，出嫁從夫，夫死從子」，而她的夫卻死得那樣早，使她離「從子」還要有一大段時間，這段時間太艱苦了！再沒有比一個舊式的女子要獨力挑擔起一個家庭更不幸的事了，難怪她會幽怨的追憶多年前父母轉念間所造成的不幸。

然而更不幸的還是她的女兒泯姐，泯姐是個老實女人，但是顯得呆板些，她不是因爲不能取悅於丈夫才被趕回娘家來的，而是因爲不能容忍於那個大姑子。

當初泯姐所以嫁到這祇有姊弟二人的家庭去，就是聽說姊姊爲了撫養弟弟，犧牲了自己的婚姻，芳華虛度，空讓大好青春過去，她也不肯嫁人。弟弟在姊姊的撫養下，讀書、成就，確是不負姊姊的期望。她是嚴父，又是慈母，也是長姊。誰不誇讚這樣的姊姊呢？誰不願意把女兒嫁到這樣的家庭去呢？而且泯姐也是被那位姊姊看中的，她說泯姐老實，因爲從小沒有父親，頗知勤儉，家庭人口也簡單，這樣的兩家聯姻，也可以說是「門當戶對」了。所以兩家當時都是一廂百願的。

但是等到生活在一起時，才發現越看來應當簡單的事才越複雜，這眞是矛盾的話，但事實確是如此。

記得在我結婚前夕，雲舅舅曾擔心我以一個倔強而急躁性格的女孩子，到那三四十口的大家庭去，如何相處？但我從未感覺到大家庭任何一人對我有何威脅。這家庭是以婆婆爲中心的，她兒孫那樣多，才沒有工夫專對著你一個人關心呢！

但是泯姐的情形卻大大的不同了。丈夫是由姊姊一手帶大的，她的生活目標就全部在弟弟身上，弟弟的生活就是她的生活，如果她不再關心弟弟的生活，她還有什麼可關心的？如果一個人失去了關心的目標，又是多麼的空虛？所以弟弟雖然結了婚，她還是繼續關心他。她覺得泯姐對丈夫這樣那樣都弄不好，她都要管一管。她仍舊要整理弟弟的襪子、衣服、飲食。好了，泯姐可以躲在一邊落得清閒，但是又不然，她會指責這位弟婦，說她不盡責。

做爲弟弟的丈夫又怎麼樣呢？姊姊的話是沒得說的，完全對，甚至於他也感覺到多少年來的生活習慣，被泯姐的馬虎的手腳弄得失去了原來的樣子。當泯姐受了丈夫的責備，在一旁冷笑的姊姊又過來整理了。

丈夫常常向泯姐發脾氣，無論她怎樣小心的改正、學習，都不對。左也不是，右也不是，她衹好暫時回到娘家來。

回到娘家來，向母親訴說著，母親勸她，總以爲是自己的女兒太笨了。果然，好心的姊姊過幾天又來把弟媳婦接回去了，她向姻伯母說，是小夫妻倆鬧脾氣。那態度更使得母親覺得是自己的女兒不懂事，想想看，大姑子親自來接，還有什麼可說的呢？

泯姐回夫家去了，忍耐著那沒有痕跡的虐待——表面上是關心、是幫助、是愛護的虐待！

泯姐忍耐得快要發瘋了，終於又跑回娘家來。而最大的悲劇是泯姐的丈夫卻眞正的瘋了！

沒有一個人說出泯姐丈夫的瘋是爲了什麼，人們都覺得他的瘋是毫無理由的，因爲他是多麼的幸福呀！有愛護他的姊姊，有供他差遣的妻子，生活全不用他發愁，都是現成的，有人甚至說他眞是沒有福氣呢！

姊姊仍然那樣愛護她的弟弟，對於泯姐是否關心丈夫，她並不在乎。這位弟弟瘋得又可怕又可笑又可憐，他一天都不說話，忽然大笑起來，笑得怕人極了，姊姊卻並不著急，好像這是她的弟弟在快活的唱歌，並不是在發瘋。

但是我聽了這故事，卻以爲這是倫理道德的觀念把他縛得太苦了，他不能從那裡正當的解放出來，壓抑得太深了。如果他敢大膽的愛著自己的妻，把他們夫妻的愛情顯示給姊姊知道的話，儘管讓別人責備他對姊姊忘恩負義，也許他可以解脫了。但是那樣一來，發瘋的一定是姊姊了！

研究心理變態的，一定可以指出來，姊姊對弟弟的關心，不祇是愛護幼弟的情感，而是無形中有了愛情的成分。常有人說，最好不要嫁給寡母跟前的獨生子，也正是同樣的意思。人活在世上，總要有關心的對象，一個一生祇生了一個兒子的母親，她對兒媳的要求就要過高些，並不是她怕她的嬌生慣養的獨生子受委屈，而是恐懼另一個女人把兒子的心搶了去，因爲那樣的話，她太孤獨了，她的心太無依靠了。

泯姐回家以後，倒是一心輕鬆，發愁的祇是做母親的人，不知道應當把女兒怎麼安排才好。七姨又爲了兒子遠走後方，心情眞是沒了著落，一向天眞快樂的七姨，就鬱鬱的病倒了。

在這方面，媽媽也許是一個比較能夠看得開的女人，雖然她也是舊式的女人。媽媽去看七姨，發現她不但病了，而且經濟也成了問題，媽媽就向認識的朋友間，替她捐了一些錢送去。

媽媽回來報告著七姨的病況，小腿腫了，大腿腫了，手腫了，終於帶來了七姨的最後的消息，她已經腫到心頭，沒救了，那樣不甘心的、悲慘的死去！

死對於七姨來說，也許是解脫，如果她沒有死，後來知道她的唯一的兒子，也在桂林逃難的途中，因汽車失事而死的話，倒不如死在兒子的前面了。

遠去的人，常在無意中來到我的回憶裡，七姨是媽媽的朋友，她的笑談，浮現在我眼前時，卻是這樣清晰可見。也許因爲她喜歡談些文學的事，和我談得更多的緣故吧？

常言「女子無才便是德」，是因爲有了才，就有思想，痛苦跟著也來了。七姨讀了一些書，才子佳人的故事充滿在她的思想裡，相形與比較之下，就有了自怨自艾的心情。

我又常常想，一個人的一生，怎樣才算有意思和沒意思？少女的時代也許最有意思，不管她是不是讀過書，總會幻想和期待著一個理想而美麗的將來。但是終身的幸福繫於別人的轉念間時，她就得信服「認命」的宿命論。她一定要覺得她應當這樣，就是這樣，不能反抗。如果她懷疑或不甘，爲什麼這樣？憑什麼這樣？我偏不這樣！她的痛苦就來了。

一個女人以實際的行動來對她的命運叛逆的，我遇見了芳。

公公把我介紹到他教書的大學圖書館裡工作。又回到職業線上，對於我是一件快樂的事。對於目錄之學，我原是一竅不通的，但是有了瀏覽群書的機會，便是最高興的事了。

我被派在編目部門，在堆滿了書籍的小閣樓裡，學習著寫卡片，數點、橫、直、撇，以及排列十進分類法的號碼。對於學習新的東西，我總是有興趣的。

在那裡，我認識了芳，她是在閱覽部門的，常常在清閒的時候到小樓上來找我們。因爲在公共閱覽的地方，不能隨便談話，而在充滿了陽光的小閣樓上，就分外有親切感。所以她連早上買了早點也跑來這裡吃，參加我們的聚餐，也邀請我們到她家去玩。

芳的家庭是一個很融洽的三代家庭，上面有婆婆，丈夫比她大一些——應當不會大得很多，但是因爲常年穿著長袍、緞子鞋，就顯得老氣些了。在北方，男人穿中國長袍和緞子鞋，固然是很普通的現象，但是受新式教育的，總還是兩樣都穿的。連公公還有一套燕尾服呢！在沒有到她家以前，我就聽說了，芳是續絃，有趣的是她在娘家是最小的妹妹，卻給最大的姊夫做了繼配夫人。又聽說最初她的其他姊姊們都反對，因爲姊夫成了妹夫，有些難堪。但是因爲又顧念到姊姊留下了幾個孩子，娶了別的女人進來，她們是不放心的，唯有自己的阿姨，是最妥當的繼母。就這樣，她嫁給姊夫。

婆婆很疼愛她的兒媳，那也是因爲她疼愛唯一的兒子的緣故。

芳自己也生了兩個孩子，她們一家人生活得很融洽，有一幢三進的房子，前後院租出去了，自己住在第二進裡。

我們每次去，都是接受老太太和她的丈夫的熱情招待，他們母子都喜歡兒媳婦的同事來，他們是極老誠的人。

但是這一家人，除了芳和大的兩個孩子以外，彷彿都是不健康的。老太太常年的咳嗽著，總有痰。——不過咱們中國人對於老年人的咳嗽帶老痰，彷佛是司空見慣了，不當做是一種病症，而且彷彿聽說痰吐出來還去火呢！因爲咱們是吃豬肉民族，據說吃豬肉火氣大一點兒，所以才鬧痰呀！

聽著老太太帶痰的咳聲很不舒服，再看著芳的丈夫那副清癯文弱老書生的樣子，加上擁擠的房間，總有一種這家人不整潔、不健康的感覺。

果然這些時聽到說芳的丈夫鬧頭昏的毛病，不但書不能看，連看麻將牌上的花紋都要昏倒。但是家裡仍然有著一些朋友去，因爲去她家玩使客人感到賓至如歸的隨便和舒服。不但老太太和丈夫對朋友好，孩子們也對客人好。兩個大孩子對繼母還是親熱的稱呼「娘」。芳是續絃原是瞞不得人，也用不著瞞人的事。但是她卻從來自己沒談起過，我們也從不去問她這些。

雖然芳的丈夫是這家中最沒有用的一個，但是他病倒了，卻是全家最重要的事，因爲祇有他是在壯年，是個男人。好在他們家的朋友同事多，大家去他家，隨時都會幫助他們家人辦些零星的事，例如替病人請醫生呀，買藥呀，替芳去取房租呀，到芳的丈夫工作的機關把薪水取回來呀。同事沈先生是其中最熱心的一個，因爲他身體健康，精力充沛，家在外鄉，祇有一個人在學校裡住，處處方便。

有時我們看到芳到宿舍去找沈先生，交代他這事那事，都是很公開的。也有時沈先生和芳同在路上走，我們也知道那一定又是幫著芳跑腿了。

丈夫的病況日漸起色了，因爲他已經可以隨便走動，朋友去了，也說說笑笑的，衹是不能寫字，不能上班，也不能看麻將牌。他過的是舊式生活，新玩意兒一點兒不懂，他的生活方式比他的年紀老得多了，比如看電影、看運動會、聽音樂會、給西醫看病、公園裡走一走、郊外去旅行、穿皮鞋……對於他都是極陌生的事情，他幾乎從來沒做過。芳雖然是教會學校畢業的，但在那種家庭過久了，生活自然也退化，不過自從出來工作後，像在冬天，也跟著我們上一兩次溜冰場，穿上冰鞋被人攙扶著玩玩。

我還記得，夏天的時候，大家穿著各樣的白皮鞋，芳很羨慕卻不敢穿，後來終於忍不住，買了一雙白高跟鞋放在我家，要出門時便到我家來穿。由此可見，她還是有年輕人的心情，有些事情不甘心，總要嘗一嘗的。她自行車騎得也不錯，那也是在出外工作後學的，爲了騎車可以節省時間和金錢，她的家人倒是沒有反對。

自從丈夫的病停止在那種不好不壞的階段以後，她的生活又恢復到原先那樣了，每個週末都輪流到同事家去打打小牌。眞奇怪，以打牌爲消遣，她家裡倒是極贊成的。芳很大膽，半夜還敢騎自行車回去，不過每次都有沈先生陪送，因爲他也騎車。

漸漸的，外面傳出來不太好聽的話，是說沈先生和芳很要好。察言觀色，有時我也彷彿有些這樣的感覺。我有時看芳早晨紅著眼睛來上班，情緒不大好，一大早就哭泣過，我想也許是在家裡淘了氣，但是再想，家裡不會有人跟她淘氣的，她的丈夫、婆婆和孩子，從不大聲對她說話，恐怕衹是她自己鬧情緒吧？

又有人說，許多個早晨都看見芳和沈先生，在一條不該是他們經過的胡同同行。而且我也常看見芳和沈先生鬧氣，那種使性子的態度，絕不像是普通男女同事爭辯得面紅耳赤的那個樣子，而是極密切關係的人，才能那樣鬧脾氣。但我不敢往壞處想。

週末她和沈先生及其他同事來我家玩，豫生便對我說：

「你給他們倆造機會，使我感到不安。」

「為什麼？」

「我和她的丈夫曾同過事，而且大家都知道他們的情形。」

「但是芳也的確太辛苦了，她喜歡打打小牌，每個週末出來到哪裡，她家裡人都知道，我們不是也輪流到她家去嗎？」

「最好每次都在她自己家，這樣減少他們倆單獨的機會。而且在家裡她丈夫雖不打牌，也一樣有消遣的意味，不是很好嗎？」

豫生的建議當然不容易提出來，輪流到各家玩，行之已久，怎麼能推翻呢？

北平的太廟，是個有名的地方，那裡有一片古松柏，一株株靜穆的屹立在那裡。松柏林下擺著茶座，顯得特別安靜和優雅，一點聲音也沒有，雖然和中山公園是緊鄰，但是風味絕對不同，公園裡像長美軒、來今雨軒的茶座，到了下午，人滿滿的一桌桌擁擠在那裡。到太廟則是眞正享受樹蔭下品茗靜坐的樂趣，太廟後面經過一列三座門，再向後走就是環繞故宮的筒子河，隔河正看到故宮的角樓、紅牆、綠瓦、碧空，再襯上古木參天，不禁使人有思古之幽情。

但是人們每天都湧向緊鄰的熱鬧的中山公園去，這裡是太冷清了！

我們也是俗人，喜歡往熱鬧的地方跑，但是那一天卻心血來潮，想到太廟走一走。

我們是三個人，豫生、我和孩子，坐在後河旁的露椅上，呆呆的坐了許久，我猛一回頭，那邊來了兩個人，我的眼睛很好，一下子就看出那是誰——芳和沈先生！那方向是正對著我們這邊來的，我傻了，不知道應當怎麼辦，因爲他們倆挽著手。我的心忽然跳起來，好像不是發現別人的祕密，而是我自己的祕密被人發現了似的。

可是他們很鎮靜，芳把頭紗一下子蒙在臉上，視若無睹，就好像沒看見我們，或者，就好像看見的是不相干的人，但是昨天我們還在一起上班的呀！

我目送著他們轉身過去了，我回過頭來半天沒言語。我不敢告訴身旁的豫生，幸好他是四百度近視眼，不然的話，我是多麼怕他那鐵青不饒人的面孔，他會責備是我們造成機會的證明啊！

我愚蠢的想，明天怎麼辦？明天上班時見了面怎麼辦呢？是不是會很難爲情？但是我太多慮了，第二天上班時，我們見著了，芳完全是無事人的樣子，就好像她昨天哪裡都沒有去，更不要說遇見我了！如果我說我遇見了她，她也許笑罵我活見鬼了呢！

這樣看來，外面所傳的，也就不能說是蜚短流長了，因爲總是有依據的。但是她並不快樂，這樣的戀愛怎麼能快樂呢？她有時上樓來了，並不和我們打招呼，悄悄的，好像在查卡片，其實是在那裡暗暗的流淚。她也知道大家看見她流淚了，但是我們大家彼此相視，誰也不好上前去勸慰她。因爲她如果是爲丈夫的病體而哭泣，那態度是不同的，誰都可以上前去勸慰她。

在背後，責備她的人比同情她的更多，就是我，當時也覺得她太過分了，這樣大膽，這樣不怕外面人的談論，這樣不顧她的老實的丈夫、婆婆和孩子。

我又愚蠢的想，一個女人在那種情形下，怎麼還有興趣去談戀愛呢？一家老弱幼少，煩都要煩死了吧！但是我們沒有想到，正是因爲那種愁悶的家庭，使一個女子的力量照顧不來她的整個家庭，她需要幫助；她是個年輕的女子，也需要異性的愛撫。她的丈夫給她的，祇是寬恕和諒解，這樣反而更引起了她的反感、嫌惡和叛逆的心情。也許她的丈夫和她吵吵架，有些地方不原諒她，倒許能激起她的悔意吧？但是她的一家人太愛護她了，愛護得反使她痛苦起來。

不久傳來了芳的丈夫病重的消息，很快的，他就死去了。死去的，一了百了，大家的目光又注視著芳，好像要看她會如何善其後，那是多麼殘忍的事！她祇是一個年輕的女人呀！

在廣濟寺裡，做著盛大的喪事。我們到幃後去看芳，她哭腫了眼睛，誰知道她哭的是什麼呢？

我們勸慰她，但是我們也年輕，經過的事太少，都不知道應當用怎樣的話語才得體。同事的金說：

「這樣是解脫了，否則死者的病拖延著也是痛苦的，你也不要太難過了吧！」

潘說：「工作可以使你減少痛苦，喪事過後，就來上班吧！」

我說：「芳，別難過，他的病也夠你苦的了，現在你反而可以把緊張的心情鬆弛下來了。」

我說了，同事都瞥了我一眼，芳卻還祇管掩面痛泣。我們再回到幃前來的時候，潘問我：

「你說的是什麼話？」

「不對了嗎？我說的是實心話。」

我不知道她們想到哪兒去了，難道一個長期的病人自生命中解脫了，對於活著的人不是也鬆弛一下心情嗎？對了，她們一定會以爲我這是雙關語，以爲我的意思是說：這下子你們可好了，可沒怕的人了！不對，她們完全是憑著以己之心度人，我是坦白的人，從來不會拐彎抹角去罵人的。

當我們要離開廣濟寺的時候，再去看一下芳，這時她好些了，已從痛泣中鎭靜下來。大家勸她早日上班，免得在家裡愁煩，她也答應了，但是她忽然恨恨的說：

「我不要穿孝！」然後眼淚又流下來，低頭手捏著白布喪服。

我們雖然略感驚異，但是也婉轉的對她說：

「是的，一個在外面做事的人，不能按從前老日子的那套禮俗了。」這也是事實，重孝要穿一百天，但是喪假祇有個把星期，難道穿了重孝去上班？那總不像話的，時代改變了，生活習俗自然也要跟著變。

但是芳的意思並不在此，她是說：

「我不願穿孝，是不願意我是個寡婦相！」

年輕守寡，是女人最不幸的事，在我周圍的環境中，還很少見到親友有這樣不幸的事，我所見到年輕守寡的，祇有我自己的母親，她二十九歲就守了寡，帶著我們這樣一群姊弟，生活在異鄉，那可不是件輕鬆的事！

果然不久芳就開始上班了。大家暫時忘掉她和沈先生的事，都特別的對她好。而且很奇怪的，她和沈先生的確漸漸沒有來往了，因為從她的情緒、行動中可以看出來，芳畢竟還算是一個朗爽的人。但是她很快的就在臉上塗抹上一層淡淡的脂粉，兩頰和嘴唇都漾著淺紅色，面孔也比未喪夫以前滋潤了。雖然有人對她這種作風看得不太順眼，那是因為時代和環境的關係，如果放在現在那又算得了什麼呢，可是那時候，那保守的地方，就認為是不妥當的事。道德是沒有標準尺度的，我覺得它與觀念很有關係，是觀念的程度左右著道德的尺度。

至於芳，為什麼在丈夫死後反而不和沈先生要好了，那倒是讓人猜測不出來了，照道理說來，那豈不是更無忌憚了嗎？難道芳有了悔意？難道沈先生主動放棄了？我想那都不是，而是芳有很濃厚的反抗的意識，從平常她的工作及為人態度中，都可以略略看出的。

芳說過她不願意在人面前擺出一副寡婦相，也正是她的要強及反抗的心情的表現，而不是她不願給丈夫戴孝。她認為夫妻應當是健康、相攜出入的一對，才是美的生活。我猶記得在她的丈夫尚未病倒以前，她就常常要拉了丈夫一同出遊，並且也當著我們的面，指著她丈夫怪他說：

「你身體不是眞正不舒服，出去走走嘛！我陪你散散步。也像林先生她們夫婦溜溜冰，看看電影，精神就好啦！」

但是那時潛在的病恐怕已深入她丈夫的身體了，不要說他原來的生活習慣中沒有什麼看電影、溜冰這一套，就是散散步，他也打不起精神來。於是在芳那反抗的潛意識中，就不由得和健康、精力充沛的沈先生接近了。等到丈夫一死，她沒有了反抗的對象，反而心情平靜下來，也許覺得沈先生是一個可厭的人物了呢。芳後來不但沒有和沈先生來往，而且也像我們一樣，以普通同事的態度對待沈先生了。

在羅素的《婚姻與道德》一書中，我還發現了有幾句話，正可以說是芳的寫照，羅素說：

「……現在的婚姻還有一個困難，最能體貼愛情價值的人，尤其感覺這種難處。愛情要自由而自然，才能滋長，要有職責的意思在裡頭，愛情就容易毀滅。假如向你說，你的職責所在，應當愛某某人，那包使你恨他……」

我記得看過一個電影，描寫一對到熱帶旅行的夫婦，丈夫死於逆旅，妻子竟不悲哀，她這時才發現自己原是不愛丈夫的。那個片子給人的感覺太奇特了，然而對於芳來說，正是如此。她痛哭的並不是因爲失去了那個人，而是失去那個人以後所給她的難堪！——要戴孝，做寡婦，使得別人以不同的眼光注視著她！她哭的是這些個。

同樣的，愛情中加入「報恩」的成分在裡面，也常常會使這愛情毀滅，這樣的例子太多了，給我印象最深的是瓊的故事。

一個從中國西南角的貴州來到北平讀書的青年，我假設他姓呂。他的家境不錯，父母才老遠的讓他們的兒子到北平來求學。他也是好學的青年，有抱負和理想，也需要異性的安慰，尤其是對於一個跋涉千山萬水到異鄉來的人。因此很快的，呂先生在認識瓊不久以後，就和她結合而賦同居之愛了。

瓊祇是一個十六、七歲的可憐的女孩子，她剛念完小學就失學了，家庭的境遇本來就不好，再加上冷漠不關心她的繼母，使得她急於求自食其力，要擺脫這個毫無感情可言的家庭。

最初人家祇是把她介紹到呂先生的同鄉長輩家裡，做一個類似小保母的工作，吃住在人家裡，帶領兩個小朋友去上學，陪孩子玩和做功課。呂先生便在這家裡認識了瓊，主人告訴呂先生這女孩的遭遇，以及她失學但頗知求上進的事以後，很感動了呂先生，他自動主張給瓊補習功課，幫助她升入中學。對於瓊來講，呂先生的確是她的恩人，他比她大了十歲，最初也確沒有意思要和她結合，但是也許耳鬢廝磨，日子久了，總會發生師生以外的情感吧！瓊是個惹人疼愛的女孩子，很快的就投入呂先生的懷抱中了。

呂先生或者瓊，都不是我的朋友，我祇是在一位秦大姐的家裡見到過一、兩次呂先生，對於瓊根本是陌生的。就是在她給了我很深的印象和感觸時，我也還是沒見過她，他們的一切，都是秦大姐講給我聽的。那已經是距離他們的結合差不多十年以後的事了。有一天，我到秦大姐家去，看她在整理一盒零散的照片，我說：

「秦大姐，您倒閒在。」

秦大姐搖搖頭歎息的說：

「閒在？我讓這位精神病攪了大半天了！」

「哪一位精神病？」

「瓊呀！你記得不記得，我跟你講過她和呂先生結合的故事？」

「好像記得。」我當時所知道的，也就是前面所記述的那些了。「但是你沒說過她是精神病。她和呂先生怎麼了？」

秦大姐又搖搖頭，似乎剛才瓊的來臨給了她一些不安。她隨著就在照片堆裡挑出一張照片來，是張結婚照片。上面的人，我認得出來，新郎正是呂先生，新娘，就是瓊嗎？於是我問：

「這是呂先生，我認得，這當然是瓊啦！」

秦大姐笑笑搖頭說：

「如果是瓊，那是十年前的事啦！這是新的新娘子。」

「哦？他們離婚啦？」

「談不上離婚，當初他們也沒有正式結婚，不過呂先生可是沒對不起瓊的，是她自作自受。」

看來秦大姐是不滿意瓊這方面的，她曾經說瓊是一個可憐的女孩子，很知上進要強，怎麼現在反而說她不好了呢？秦大姐是五四以後的新女性，對於男女平等有著偏激思想的那種女權擴張論者，連這樣的人都不同情女人這一邊，可見瓊眞是罪孽深重了。我倒願意聽聽十年來瓊的故事，還是讓和他們雙方都有友誼的秦大姐來講吧！

當十年前呂先生認識瓊，幫助她的時候，純粹基於憐憫的立場。瓊不過是小學畢業的程度，可是因爲天賦的聰明和自己要強，所以在接受呂先生的教導後不久，就考進了高中。做一名高中生，甚至於入大學，都是瓊所希望的。她接受了呂先生的幫助，而有這樣的成績，也是愛護她的每一個人所高興的事。那時候，瓊也的確是個用功的學生，她不但用功，人也活潑，處處都表現她有旺盛的生命力和光明的前途。

呂先生繼續教導她，接濟她，當她長成一個亭亭玉立少女的時候，忽然有好心的人提出了一個建議：瓊和呂先生應當結合成一對夫妻，他們把這意思對呂先生提出了以後，呂先生是老實的男人，他又恐慌又感激。恐慌的是怕瓊不喜歡他，而且他也不願意使瓊有一種觀念，認爲是這個男人接濟了你，你就有義務做他的妻子；感激的是，在他私心中早就對瓊起了愛慕之心，祇是哪裡敢說出口？現在他對瓊的傾慕，竟能引起別人的同情和關心，怎使他不感激呢！祇是他很難爲情（他反而難爲情！），希望朋友們向瓊說什麼的時候，千萬不要惹惱了她，使她對他起反感，因爲他怕失去她。

朋友們覺得呂先生的態度眞是又可笑，又可憐，也由此可見他眞是一個老實人。他們笑他的是，他在功課上對瓊非常的嚴厲，是一個長兄或者嚴師的態度，可是對於她的生活的幫助、關心，卻像慈母、長姊一樣。現在遇到要談婚姻和愛情，卻變得這樣軟弱和無自信。他對於瓊，在三方面是三張面孔，三種心情，怎麼不教朋友們覺得他又可憐，又可笑哪！

當朋友們把這建議向瓊提出時候，她先是一楞：

「我從來沒想到這樣的事。」

朋友們便繼續向她說，呂先生的人品是如何好，他是如何幫助她，而且私心也在愛戀她的。

瓊也許眞是沒有想到戀愛這回事，因爲她一心衹在求上進，有的女孩子成熟早，有的人就晚，何況也要遇見使她鍾情的人呢！她對呂先生一直是以長兄與嚴師看待的，她從沒對他產生過老師和兄長以外的感情。所以即使他們對她提出呂先生這方面的情感的情形，她也還是感覺意外，彷彿一時讓她答應下來，是不可能的事，所以她回答說：

「可是我還在讀書，還不打算結婚呢。」

熱心的朋友太熱心了，他們竟接下去向她講出一番道理，他們說：

「結婚也並不妨礙你的讀書，老呂一定會使你繼續升學的，而且結婚以後，你們生活倒處處更方便了，反正你的生活這兩年來也已經是他的生活的一部分了，把你們兩人的生活合起來，也比較儉省，我們相信你一定也會爲老呂設想的，是不是？他對你太好了！」

這樣的口氣，應當不是呂先生原來的意思，因爲他曾囑咐過朋友們，不要驚嚇到這隻小鳥，可是現在卻使得瓊非常的困擾了。呂先生對她好，那是人所共知的，她也一向尊敬他，不過要她去愛他，卻是一件很突然的事，可是呂先生竟對她發生了愛慕之心，她覺得很光榮，但是捫心自問，她是不是愛他呢？好像不可能，愛和崇敬是不同的，但是瓊當時哪裡能分清？在她的內心衹是想，如果我不答應這個要求的話，不要說對呂先生是難堪的，就是她將來的生活也恐怕要發生問題了，而且別人會說她是一個忘恩負義的人，這樣的罪名，這樣的後果，對於她豈不是太不好了？她應當愛他的，不是嗎？他對她這樣好，如果他們結合了以後，他會對她更好的，何況還有一個更可靠的前途呢！

在把愛情的價值這樣想了一遍以後，她終於很快的投入呂先生的懷抱了。他們沒有舉行什麼結婚大典，衹是幾位鄉長朋友同學吃了一頓飯，就把她送入新房了。

最初他們的生活也許不太壞，因爲他們倆還照樣各到各的學校讀書，回來後又一起讀書，在眾人的面前，他們也沒有一點新婚夫婦的那股甜蜜勁兒。呂先生仍然是不苟言笑的教導著瓊，瓊呢，雖然很嬌媚活潑，但那不是新婚夫人或者愛人般單對丈夫一方面的，她仍是像平常一樣，她一直是大家的小妹妹。

朋友們對於他們這種情形也很習慣，以爲他們就是這樣，永遠這樣。

呂先生對於瓊的讀書的要求，非常嚴厲，他一本正經的在朋友們面前，也照樣向瓊說：

「一個人要努力的求上進，我希望你讀了中學，讀大學，然後我們一起到國外去留學，以求更廣的學問。」

他也很體貼瓊，書讀多了，就叫她休息下來，並且讓她隨著朋友們去逛逛街，看看電影，衹是呂先生自己卻不去的，因爲他衹要埋頭讀書，對於外面年輕人的玩意兒一概不感興趣。

看來瓊眞是個交了好運的女孩子，她經管著呂先生的錢財，隨便她煮的什麼菜，他都可以吃，他穿著也隨便，所以處理他們的家庭生活，並不是頂困難或麻煩的事，他唯一的要求就是要她好好讀書。可是她到底年輕吧，除了讀書以外，她也喜歡玩玩。說她在讀書上很受呂先生的約束嗎？可是她也有充分的自由，她要求和呂先生出去看場電影，他不去，就會揮手向她說：

「要去就找老孫他們去好了，我還有一些功課要寫的。」

瓊得了許可，便小鳥般跳著蹦著去找那班所謂老孫等等朋友玩去了。

在這樣的情形下，如果發生了什麼事情的話，恐怕瓊是不會得到人們的諒解和同情的吧？果然情形不太對了。瓊先是和老孫等許多朋友玩，漸漸的，到後來衹有老孫一個人陪伴瓊了。事情也是呂先生自己造出來的，當瓊吵著要看電影，看京戲的時候，老孫也許正在他們家，於是呂先生就做那種揮手狀：

「好啦好啦！老孫，你陪她去看好了！」

他打發太太竟像打發小女兒一樣，祇要有個人把她帶出去，不要吵他就好了。而且他也並不是氣惱的打發，總是十分體貼的。

漸漸的，朋友們都看出那情形的不妙來了，瓊和老孫在戀愛，一個在戀愛的女孩子是看得出來的，——當然，她已經是太太，不是女孩子了，可是，那臉色，那眼睛，那神氣，絕不是和呂先生新婚時相同的，他們從來沒見瓊這樣過。每個人都看得出，她以前從沒戀愛過，現在才開始。

呂先生知道嗎？再呆氣的書呆子，對於自己的太太也總有點兒敏感吧？他是知道了，但是他不但不敢管她，反而變得那麼懦弱。這種事情比不得別的事情，如果呂先生不開口談到瓊的情形，如果連呂先生都不表示出丈夫的氣忿，誰又好講什麼呢？

在中國的情形是這樣：如果有一個丈夫在外拈花惹草，別人可以暗地告訴他的太太，勸她要注意自己的丈夫；但是如果一個太太有了「不軌的行爲」，就沒有人肯告訴那做丈夫的了，因爲那對於男人是最最傷害了他們的自尊心。任何公開的場合，都可以向任何一位太太開玩笑說，「小心你先生在外面搞女人啊！」但是你能向任何一位丈夫說：「小心你太太在外面搞男人」嗎？也許是基於這個道理，所以沒有人好意思向呂先生談到瓊的情形。

於是，一件使人歎惜的事情發生了，瓊和老孫私奔了，他們跑到遙遠的關外去。在吉林，這個對於他們很陌生的地方住下來，不跟任何人通消息。他們怎麼敢通信呢？誰肯原諒他們呢？

呂先生的痛苦不用說，三年來的心血，是白白的耗費了，瓊後來並不要讀書，她一心戀愛，著了迷的戀著老孫，她從來沒有戀愛過呀！

也許一開始這婚姻就是錯誤的，因爲旁觀者要瓊以結婚來報恩，而她也以爲應當這樣。誰知結合了以後，才發現不是那麼回事呢？呂先生確是很愛瓊，但他是慈愛，卻不是戀愛。如果是在古老的年月，這樣的婚姻也還是可以白首偕老的，因爲「一日夫妻百日恩」呀，但是偏偏又在那新舊交替的時代。

呂先生鬱鬱的獨自出國了，原來的美夢不但破碎了，而且他也突然徹悟，他對瓊雖然處處好——好到隨便讓她跟另外一個年輕男人同遊——但卻是錯誤的，他對她功課的逼緊，也是錯誤的。看，呂先生是一個心地多麼良善的男人啊！在想過一切之後，他竟原諒了她，把一部分責任攬在自己身上。

一年多以後，北京城裡又發現了瓊，她竟從關外狼狽的回來了，因爲老孫遺棄了她。這一年，她也還是一個不到二十歲的女孩子。

有人把瓊的狼狽的情形寫信告訴呂先生了，原是要他解解恨的，這豈不是報應嗎？但是呂先生卻從老遠的歐洲寄了錢來，請朋友轉給瓊，但是希望他們不要告訴錢的來源。

瓊受到了經濟的接濟，並沒有表示特別的感謝，她有點麻木了。跟著她又出走了，這回是和另外的一個男人。回到這男人的家鄉，才發現他是有太太的，做了兩年半的姨太太，她又逃出來了，仍然回到了她扎根的地方——北平。

人們不太注意她的情形了，因爲她的生活方式，離開原來將她看做小妹妹的那個時期，大大的不同了。

她也到這班朋友家裡去走一走，沒有人肯問她的近況，有時也聽說她有了工作，過些時卻又是不知所終。不過隔些時總會聽到她的不頂正確的消息就是了。有人看出瓊是寂寞的，孤零的。

呂先生的情形卻迥然不同了，學成歸來，在上海的大學裡教書，但是許多年了，也沒有再結婚，再戀愛，也是寂寞的，孤零的。

有人忽然想到，爲什麼不把這兩個人再撮合起來呢？呂先生始終沒有記恨瓊，他還可以收容她呀？但是不可能了，他們兩個人，一比較起來，就好像漠不相干的兩個世界的人。朋友們認爲，呂先生是多麼的高超，瓊是多麼的卑下。

但是再過了兩年多，呂先生終於結婚了，歲月如流，這離開呂先生第一次和瓊的結合就有十年之久了！

十年後和呂先生結婚的這位新娘子，既賢且淑，誰不說那才是呂先生眞正的幸福，以前的那場理想的夢早已成了過去，呂先生好多年來就不再提起瓊了，大家都忘了瓊，不過在呂先生這次結婚的時候，大家總不免又感慨的撩起了一些回憶的浪紋就是了。

但是今天瓊卻突然來到秦大姐家，秦大姐說：

「她的來臨，使我意外，她的樣子，更使我意外：更不整齊的服裝，更莫名其妙的表情。」

秦大姐詳細的告訴了我瓊和呂先生結合和分離的經過時，已經使我如眼見過這樣一個被視爲「自甘墮落」、「有福不享」的少女了，現在她已經不是少女了，十年滄桑，對於瓊眞是悲哀的，有誰能同情她當時離棄呂先生的心情呢？有誰能把報恩和愛情分開來，再仔細分析她的情感的變化呢？

現在，秦大姐的口中，她這樣狼狽的來臨。她來做什麼呢？我問秦大姐。

「你猜來做什麼？」秦大姐反問我，「她一進來坐下後，就向我傻笑著，也不講話。我心裡也想，她來做什麼？看她狼狽的樣子，生活的情形是可想而知的，那麼——她是生活上有問題吧？是經濟有了困難嗎？怪可憐的，因爲我忽然把她和剛結婚半個月的呂先生和呂太太擺在一起比照了；禮堂裡那一對挽著手，臉上露著禁不住的喜悅之情。呂先生紅光滿面，新娘子嬌羞可愛。我又想起了十年前，呂先生和瓊住在一起時的情景，瓊到後來每晚都要求著出去玩，呂先生一個人苦守在燈下埋讀寫作，自己向煤爐添著煤塊，等候夜歸的瓊，而瓊呢，呂先生越對她好，好像越引起她的反感。那情景和今天眞是不能比了！婚姻對一個人豈不是太重要了？」

秦大姐接著說：

「我這麼想著，竟愣了半天沒跟瓊說話，因爲眼前的比照使我感觸太深。但是等我抬起頭來，祇見瓊還對我傻笑呢！啊！她的笑容使我害怕了，我這才從她的眼神中發現她一定精神不是正常的了。我也笑了笑，等著她開口向我借錢，我想，她祇要開口的話，我就會借給她，一個女人落魄到這樣的地步，也夠可憐的了！如果她珍惜自己的前途的話，原來是有留學希望的女博士哪！現在，卻成了女乞丐，人生的際遇眞是想不到的。」

「那麼她開口向您借錢了嗎？」我問。

「她倒是向我開口了，但是，你猜猜，她借的是什麼？」秦大姐問我。

「借什麼呢？」我問。

秦大姐手拿起那張呂先生新婚的照片，向我面前晃了晃：

「這個，她向我借這個！」秦大姐不勝感慨的說，「她說，秦大姐，把呂的結婚照片給我看看！我當時確是又一愣，她竟知道呂先生結婚了？我就不由得哦了一聲，因爲我不知道該不該給她看，我不知道她的用意何在？」

「您是怕她有什麼舉動？」

「是的，不瞞你說，我確是這麼想，我想，她要把照片給撕了怎麼辦呢？她要是看了照片哭一場怎麼辦呢？我不想給她看。」

「那麼您怎麼拒絕呢？」

「我裝糊塗的對她說，咦！你說什麼？她竟哀求著向我說：秦大姐，您就給我看看嘛！呂的結婚照片。我想呂先生結婚的事她已經知道了，我也裝不了糊塗，祇好說：我可沒有他們的照片呀！可是她還是哀求著我，我看她精神不正常，太可憐，我不忍心，但是我還是勸慰的對她說：有什麼可看的，算了吧！她不肯，仍然說：沒有關係，秦大姐，您就給我看一看，有什麼關係呢！她的面容是如此奇特，對我的要求是這樣深切，我想，她不會有什麼惡意的，終於拿出來給她看了。」

「她看了怎麼呢？」我急切的問。

「她沒有什麼表情，拿著照片，安安靜靜的端詳著照片上的人物。」

「她說了什麼嗎？」

「沒有，什麼也沒說，她那安詳的樣子，一些也看不出她原來是神經的，衝動的女人。看她那樣子反倒使我——」秦大姐眼圈紅了：「使我想哭了！」

我隨著秦大姐的述說，腦海中也不禁描繪出瓊的形象來：她那時是蒼白的臉，不整齊的服裝，不合時的髮型，眼睛毫無光采，孱弱而憔悴。

「看完了以後呢？」我又問。

「看完了嗎？她微笑著把照片遞還給我，那麼乖巧安靜的。」

「她竟微笑嗎？」我說。

「是微笑——或者，毋寧說她是慘笑吧！」秦大姐想了想更正的說。「是的，微笑和慘笑，猛看起來是相同的姿態，但是仔細看來，兩種笑的嘴角的彎度，畢竟是不同的。」

「我想，微笑的嘴角是向上翹一翹的，慘笑的嘴角就要向下彎一彎了。」我和秦大姐竟說起題外之話了。

秦大姐這回倒也微笑了，但是她的微笑卻是惋惜的，嘴角既不向上也不向下，是平度的牽動了一下，鼻孔裡有輕微的一口氣：

「她也許後悔了，爲什麼十年前不跟呂先生好好過，這不是自作自受嗎？看現在的呂先生夫婦，她難道不羨慕？」

這是秦大姐給瓊下的結論了。

「您覺得瓊看著呂先生的照片，是像您所說的這樣想法嗎？」我又問。我也拿起了這張結婚照，端詳著。

「當然是！」秦大姐是絕對的口吻。

人們對於別人婚姻的配合，是彷彿很有信心的，他們說，張三先生和李四小姐，一個是半斤一個是八兩，放在天平上稱一稱，絕對是平衡的。當初他們給呂先生和瓊的配合，也是根據這個原理，但是後來怎麼失去平衡了呢？現在秦大姐又給瓊看照片的心理下了定語，說她是有了悔意，但是我卻不是這樣的想法。

瓊是一個好強好勝又好奇的女孩子，從她兩次（婚前和婚後）對於家庭環境敢於反抗的行動，可以看出她的好強與好勝；而從她對目前環境以外的世界，總想去探求，可以看出她的好奇，雖然她探求的結果往往是失敗的。失敗能給這樣的人有什麼教訓嗎？也不盡然，她的性格既然栽了深厚的這種根，無論如何是去不掉的。而屢次的失敗，反而會形成她的另一些以前沒有的性格。

我忽然想起，有一個電影女明星，她在幼小年齡的時候失去父母，住在出嫁的姊姊家，因爲她是最小的妹妹。在十幾歲的一年被有地位的姊夫玩弄了，以後她對男人便有了「玩世不恭」的態度，她特別喜歡玩弄一些老實的男人。不明白的人，當然說她不是好女人，但是什麼環境使得她這樣的呢？就沒有人去追究了，她所以這樣，正是在潛意識中對男人有一種報復的行動，尤其是她偏選擇老實的男人，那也正是報復的行爲，因爲當她十幾歲的時候，正是一個弱女，她哪裡懂得該怎麼反抗？

也有人說，無論男人或女人，他們如果經過兩次失敗的戀愛和婚姻，他或她對於異性就不由得有玩世不恭的態度。這話對於瓊來說，是對的。但是瓊畢竟還是可憐的一個，因爲她一次次的失敗下來，除了呂先生以外，她都是被遺棄的一方。也許，她還是有善良的本性，因爲不能做太殘忍的玩弄男人、遺棄男人行動吧！因此她自己變成神經質了。在這樣複雜的心理中，她看呂先生再婚的照片，是爲了悔意嗎？也許她恨忿他呢？也許她嘲笑他呢？也許她祇是好奇的呢！像瓊這樣好強好勝的女人，她是不會後悔的，她卻會再「錯誤」下去，再「失敗」下去，直到她完全崩潰爲止。

秦大姐在結束了談瓊的經過後，她忽然對我說：

「還是你的婚姻正常，因爲你們是新人物，卻還保守著舊的道德，看你們在大家庭中，就沒有這些事了。」

眞是奇怪，我說過秦大姐是五四時代產生的新女性，對於女權常有矯枉過正的偏激思想，怎麼她今天對於瓊這位女性的看法，以及對於我這半新半舊的婚姻看法，好像走向中庸之道了，是她的思想退步了？還是時代的趨勢，使她對於以前的思想，起了矛盾呢？

事實上，我們的大家庭在時代的潮流下，已經漸漸走上不能維持它的尊嚴和輝煌了。首先，我們各房分炊了，這是我們中國的大家庭制度中後來產生的詞彙，所謂「各抱房頭」了。

大家庭而實行分炊制，可以說就是有了走向小家庭制的趨勢了。最初是因爲物價上漲，大廚房的菜越來越壞，各房就各自添小灶，加小菜，後來甚至到了大廚房的菜白白丟棄不吃了，這才決定分炊。分炊的辦法是外面做事的人，如有配給米麵都仍交由大哥總匯，再按各房人口多寡分配。大哥是個又老實又膽小的人，他多少年來都不做事，並無收入，衹知道悶在屋裡讀書，婆婆特別疼愛大哥，她認爲衹有大哥才是在她跟前的兒子，也的確是這樣，大哥彷彿是在母雞翼下永遠長不大的小雞，他願意過讀書人的隱居生活，不愁吃穿，淡泊一生，有賢妻，有孝子，於願足矣的那種生活。但是外面的風雨一次比一次厲害，一次次的襲擊來，採菊東籬下的悠然的日子沒有了，我們眼看著大哥一房的生活一天天的狼狽起來。

當大家把在公家配來的米麵交給大哥以後，他帶著僕人一斤一兩的分配，冬天裡衹見他的棉袍上撒滿了白麵粉，有時頭髮上也是，我們的王媽最壞，她上樓來對我笑說：

「大爺又唱打麵缸哪，您還不領麵去！」

大哥雖然這樣為家人服務，但怨言還是有的，像我們和七弟房都是夫婦在外面苦奔，所以各有兩份配給，我們的人口少，交總再分回來，眞是不上算，在那淪陷時艱苦年月，北方的糧食是最大的問題，因此人人變得自私了，再加上婆婆一向偏疼大房，更讓人覺得不甘心。最後問題解決了，各房完全自理，我們既不吃大廚房的菜，也不必把米麵交大家庭，大家庭生活的糾纏解開了一環，跟著，我們又像長了豐滿的鳥羽一樣，要飛離老巢了！

公公是最寂寞的一個吧，兒女和他有一段距離，是難得和他談談的，姨娘時常回娘家，婆婆冷嘲熱諷，他祇好一個人在陰冷的書房裡寫寫畫畫。他除了在大學教授詞賦以外，又訂了一個潤例，為人撰寫壽序墓銘什麼的，一方面是希望增加收入，更重要的為了遣此寂寞吧！

有一年的過年，各房都在呵筆書春，紅紙條滿屋飛，公公也在書房硬木書桌上鋪開了筆墨，姨娘替他拉著紙，原來他是把一張從故宮流落出來的淺灰色的宣紙，裁成兩條，在上面寫了一副對聯：

老思無病福，
饑吃賣文錢。

姨娘也許知道公公心中的悲苦，但是她仍然指著公公笑罵著對我們說：

「瞧瞧這個老頭子，大過年的，就跟人不一樣。來來來，再給我寫張紅紙兒的春字！」

公公雖然是滿腹詩書，卻是衣缽無繼，兒女們念的都是新書。大哥二哥年齡比較大些，書雖讀得多些，但對於詩詞也是沒有研究。在大學裡，公公倒有幾個得意弟子就是了。

所以偌大的書房裡，顯得那麼冷清，貼壁特製的書架，齊著屋頂，武英殿刻本的二十四史、十三經，整整齊齊的排列在那裡。我的國文，是從「小狗叫，小貓跳」啓蒙的，對於舊學眞可以說是一竅不通。還是在圖書館爲了分類編目古書，曾向公公請教過一些目錄之學以及國學的常識而已。公公便把什麼公羊穀梁，先經後傳的道理詳詳細細的解釋給我聽。可惜連這一點常識，也都在我編完書目後忘得乾乾淨淨了。

公公的書房是坐南朝北的房子，一年到頭照不到太陽，所以顯得冷清，但書房外的院子裡，卻充滿了陽光。夏天到來，公公曬書，姨娘晾皮貨，書的價值沒人懂，皮貨的價值卻是有目共睹。僕婦們都會用驚羨的眼光注視著陽光下毛茸茸的東西。據說那些都是公公的多。但是曬的多，穿的少。在北方，手裡有些皮貨，也和有些古玩、字畫一樣，是有著財產的意思。這些雖然是公公的，卻是由姨娘在保管。到後來，家庭經濟情形很差了，公公心灰意懶，書也懶得曬了，姨娘的皮貨也不再出現在陽光下。人人都知道，家裡情形不好，如果還有人亮出值錢的東西來，是太刺目了。姨娘是傻子嗎？她豈不明白！所以她把值錢的皮貨藏起來了。婆婆手裡幾件不值錢的貨色，早就分給兒子們了。於是一家之主的公公，他在冬天反倒穿的是一件磨光了板的皮袍。婆婆還挖苦他：

「喂，你那件灰鼠脊子的呢？爲什麼不拿出來穿？那條海獺領呢？還有，我明明記得你從關外帶回來的還有一件草上霜。」

公公急了，他的生活已經這樣了，爲什麼還要受到傷害？但是他畢竟還是尊重婆婆的，無論他在多麼氣急的時候，也不願和她爭論，或者反駁她，公公祇是跺著腳說：

「太太，太太，唉！太太呀！」

他面對婆婆總是叫「太太」的，他不說什麼，祇這樣著急的喊，當然包含著「你何必這樣傷害我呢？何必呢？」但是婆婆的氣也來了，她鼓著嘴，綳著臉，一袋袋狂吸著水煙，她也是痛苦的呀！

在全家人都鬧窮的時候，恐怕祇有姨娘手頭是有些什麼的，這能怪罪她嗎？公公的年紀那麼大了，她又沒有兒女，她的後半世的生活，誰來負責？何況她也是一個省吃儉用的人，她攢起幾個錢來，是理所當然的。雖然有些地方顯得吝嗇些，但是家人對她也無情感可言，吝嗇不吝嗇也就是那麼回事了。

在那樣貧困的日子裡，公公的氣節是多麼的令人敬佩，公公的安福系的老朋友們，在南方和北方，很有幾個做了敵僞的大官，公公卻像一株寒天裡的孤松，屹立在那裡，一動也不動，不怕冷，不怕風。春天總會來臨的。

公公是舊時代的人物，但是對於新事體，他一樣有認識，能接受。他一肚子舊學問，可是新的東西他也要看一看。正在我嗜讀小說的時候，曾經買了不少文學名著。有一天公公說很無聊，讓我拿一本我們看的小說給他看，我便把新買來剛看完的巴爾扎克所寫人間喜劇之一的《從妹貝德》拿給公公。我心想，那種直譯的文字，公公看得下去才怪！誰知他一目十行，兩天功夫便把厚厚一本書看完了。他一時興起，把我叫下樓來，把書還給我，並且問我：

「《從妹貝德》是描寫什麼時代的事情？」

我愣了一下沒答上來，他又問：

「這本書有什麼意義？」

我覺得很難爲情，我看書頭一遍是祇顧看故事的，其他一概沒注意，我在急智中祇好抓了一句話回答，我撒謊說：

「我還沒有看完。」

公公點頭笑了笑，然後他竟講起對這本書的感想來了。以後他又陸續向我借了一些西洋翻譯名著，我不敢怠慢，祇要他拿去看的書，我都先仔細琢磨一番，以準備隨時應答，別讓公公問倒了我。

當勝利來臨後不久，我們第一個飛出了大家庭的老巢。我們已經有了兩個小孩，樓上三間小屋雖然有溫暖和情趣，但是它畢竟太小了，容不下我們四口人，不，最主要的還是容不下我們的心吧！這心時時刻刻想到外面求新生活新發展，想要過可以任性的獨立生活，大家庭的空氣太沈悶了，有時讓人透不過氣來。

公公不反對，他知道眼前的世界是個什麼趨勢。這時二嫂也已帶著肺病浩劫下的兩個殘餘兒女到南京去，因爲二哥已經復員回到南京了。跟在我們後面的，七弟夫婦也帶著他們的孩子搬出去了。房子原說是不夠住才分出去的，但是現在呢？偌大的一所宅子，豈不顯得太冷清了！

七弟的三間北房，窗外有兩大棵馬纓花，現在公公和姨娘搬進去住了。原來姨娘的住房就給八弟養病，我們的小樓給精神病五哥住。原來他們都是每人一間的，現在，他們每人住了三大間。但是這樣大的空間，對於精神病患者，對於重肺病患者，又有什麼可喜呢？

有能力的，都遠走高飛了，贘下軟弱的、病患的、幼小的，依附在兩老身邊。兄弟都是婆婆一人所生，她雖略有偏袒，疼愛兒女的心總是一樣的。她心裡就是有一百個不願意兒女們離開她，又有什麼可說的？婆婆是從不責備她的兒子們的。

大家庭除了馬纓花以外，西院有兩棵丁香，年年春天開滿著白色的小小的花朵，我總要摘一些插到花瓶裡。前院還有一架小粒的甜葡萄和一架藤蘿花，春天也隨著婆婆煎一些藤蘿餅吃。這一切，都隨著我們離開大家庭而成爲過去的事了。

我們從城南搬到城中來了。城南琉璃廠一帶，是我自幼成長的地方，就連結婚後也沒離開它，因爲豫生的家三、四十年來也都是住在這一帶。城南對於我有太親切的情感和太多的懷念，但是我們的新居卻給了我很新鮮的感覺；它位於紫禁城邊，是離舊日皇宮最近的地方。紫禁城在有皇帝的時代，老百姓是要止步的，但是民國以來皇宮開放後，它便是最理想的住宅區了。我們家的東面是中山公園，北面是到北海之路，向西去便是中南海。

夏天假日的早晨，我們推了嬰孩車，穿過馬路有條捷徑，從中山公園旁的冰窯門進去，便是柏斯馨、長美軒、春明館這一帶古松柏下的茶座了。上午遊人很少，茶座沒有完全擺出來，很清靜。大男孩子在茶座道上跑來跑去，小的妹妹在嬰兒車裡看哥哥。我們也享受著北平特有的名勝趣味——大自然美與人工美揉合成的。這時我們的世界縮小到祇有夫、妻、兒、女的組成，暫時忘懷了我們是剛從另一個大樹上分枝出來的新芽，忘懷了老樹幹在漸漸枯朽。我們太自私嗎？實際上，大家庭的崩潰，也是隨著工業社會的來臨而造成的人情淡薄的現象之一罷了。可悲痛的不是大家庭的崩潰，而是傳襲著大家庭的最後一任家長——眼見大家庭從他們這一代解散的公公和婆婆。

因爲前後左三面都有公園，所以我們常常上午去了中山公園，黃昏後再去北海小坐和划船。但是因爲距離最近的關係，還是到中山公園的時候多。在北平逛公園，常常可以看見熟面孔，坐來今雨軒的遊客，進了門就向右面行健會的網球場後面去，有的人連每天坐的茶座都是老地方不肯換。春明館是下棋的地方，那裡老人多些，公公也每天在那裡，下著不肯傷腦筋的衛生圍棋，下不完，哈哈一笑，和亂了，吃一碗麵，暮色深沉，他就回家了。他總是獨來獨往，沒有曼姬的陪伴，沒有子女的扶持，他七十歲了，腰板還挺直，但是他是多麼寂寞呢？就是春明館中的老朋友，也日漸凋零了。

早晨公園的遊客，和下午完全是不同的客人，誰像我們這樣，做了清晨的遊客，又做黃昏的遊客！

有一天早晨，我們剛在長美軒坐下，任孩子們跑跳著，忽然看見一位熟朋友亞雷走過來了。和他同行的還有一位年紀大些，大約靠近五十歲的男人。

亞雷和他的朋友走過來，向我們打招呼，並且介紹給我們，他的朋友姓方，我彷彿在哪裡見過，原來說起來他是公園的老遊客，並且也偶然和公公下衛生圍棋，那就難怪眼熟了。

方先生是位健談而又和藹的人，他坐下來，先就跟我們談公公，他說他是如何敬佩公公，他對公公的作品比我們清楚得多了。

方先生是位瀟灑型的男人，頭髮微禿，中等的個子，穿著淡灰色春綢大褂兒，戴著金邊眼鏡，腳下是擦得烏亮的皮鞋，這種打扮在北平是很普遍的，是代表過著文人悠然的生活的一型人物。提到公公時，還說曾經拿了詩詞請教過公公呢！

亞雷也忙介紹說：

「方先生夫婦對於詩詞都是很有研究的，恐怕老太爺都知道的。」

「是的。」因爲和公公討論學問的事兒，簡直輪不到我們這些子女，反而不如公公在外面認識的人和他談得來呢！而且他回家後，也很少和我們談外面的事，所以想要和方先生客氣兩句都無法說起。我們既然明明對詩詞欠研究，也就不願意虛僞的說些什麼拜讀的話了。

倒是我想起了亞雷，今天怎麼大清早就有興致逛公園，便對亞雷說：

「難得大清早在這裡遇見你，我們是常常來的，所以看方先生倒眼熟。」

亞雷指著方先生說：

「我是陪方先生來散散心的，——因爲方大嫂最近過世了，所以……」

「哦——」我連忙向方先生說：「眞是——，我們也爲您難過。」

方先生略點頭表示謝意。

「是沒有好久的事嗎？」我又問，其實這祗是應酬禮貌，因爲我們既然對方先生是陌生的，他的太太，我們更無印象。

「也有一個多月了。」亞雷代回答。

中年喪妻對於男人，好像沒什麼了不起，倒是如果家裡有未長成的孩子失去母親，比丈夫失去妻子，會使人更同情。

亞雷又說：

「方先生和方大嫂是一對神仙夫婦！」

我還不太明白神仙夫婦的含意是什麼，當然，像神仙總是好的，那麼方太太的死就更值得惋惜了，怪不得方先生要散散心。

方先生這時也不禁感慨的說：

「可惜內人和你們沒緣分，她過世後，我才認識你們。不然，她是一個極可談的朋友，和夏太太你一定談得來的。」

亞雷又介紹說：

「方大嫂也喜歡文學，舊文學很有研究，又寫得一筆好字，她是上海中西女塾畢業的。」

「哦！那太可惜了！」我也衹好這樣說。

「她倒是也見過老太爺的，」方先生是指的公公，「她也和老太爺擺過幾盤棋呢！」

「好像聽老太爺講過。」方先生一說，我不但彷彿覺得公公曾談起過，而且也彷彿看見過。「是不是您和太太也常常來春明館？」

「常來啊！」亞雷連忙接過說，「就是兩人成雙成對，現在才覺得孤單，所以我來陪他散散心。」

那就是了，公公的確談起過他們夫婦，在老一代的人物中，像公公，除非帶了年輕的姨太太出現在公共場合，否則是很少——可以說沒有老頭兒老太太同時出現的，所以春明館既是老一代人聚會之處，也就是像公公這樣的多些，方先生雖然比公公年輕得多，生活卻是公公他們那一類型——談棋琴書畫舊文學的。那麼方先生夫婦居然常雙雙出現在公公他們的場合裡，自然顯得突出了。

我們現在搬離大家庭，少知道許許多多事情，在大家庭時，像公公在外面參加的婚喪大事，總會知道一些的。因此也就沒聽說有一位方太太去世的消息了。

可以想像方先生夫婦的情愛彌篤，所以我惋惜的說：

「方太太是什麼病去世的，她的年紀應當也不大呢？」

「唉！」方先生輕歎著氣說：「她的病很複雜，心臟不好、貧血、胃疼、風濕，再加上一個多愁善感的性格，最後是什麼病致命的，也很難說了，總之是心臟停止了跳動，她就死了，說心臟病或者恰當些吧！」

亞雷這時插嘴說：「也是因爲有方先生這麼一位溫柔體貼的丈夫，方大嫂才病更多了呢！」人家都死了，亞雷還有開玩笑的興趣。多不合適呀！我便接著說：

「那方先生寂寞多了，少了和您同吟共遊的伴侶。」

「是的，夏太太說得對，」方先生很感激的說，「屬於我們倆的一生，可以說一無所有，祇有這點點情意，希望她原諒我沒有立刻跟著她去。」

啊！方先生是什麼意思呢？這年頭兒難道還有丈夫爲愛妻殉情的嗎？

亞雷又說話了，他說：

「方先生和方太太是同年，方太太還比方先生大幾月。」

所以方先生才以不能隨太太而去爲憾，我們不是有「未得同年同月同日生，但願同年同月同日死」的愛情誓語嗎？更可見他們愛情的感人。但是男人是說不定的，太太剛死是很悲傷，過些時總還要續個絃吧！不過有孩子的，續絃困難就是了。所以我又不由得問：

「方先生幾位小姐少爺？」

「啊——」方先生猶豫了一下，「她從來沒生育過。」

原來亞雷說他們是神仙夫婦，就指的是無憂無慮無兒女的神仙般的生活了！在這種情形下，當然方先生更顯得形單影隻。怎麼處理他的後半世生活呢？還是續絃吧，但是，我當然不能提議的，祇是心裡這樣想著就是了。

方先生是無限懷念的不斷談著他們的生活，他說：

「我們一生沒吵過嘴，連彆扭都沒鬧過。她多病，我也想著她是千金之體，嫁了我這樣一個窮教授，祇是我們倆談得來。她是蘇州人，家裡卻世居揚州，祖父是大鹽商，她在上海的貴族學校讀書。我們的婚姻也經過一番折磨，她的家裡當然不願她嫁給我這麼一個窮酸文人啦！把她弄回蘇州老家去關了起來。」

「啊！那怎麼又結合了呢？」我像聽故事一樣的喜歡知道它的發展及結果。

「亞姍演了一齣私奔。我那時本以爲我們的結合是不可能的了，我雖深愛她，但是如果她是一個普通人家的女兒，我一定窮追不捨，然而在她家是富商，我是窮書生的情況下，我就不肯那樣做了，被人認爲我窮小子看上女方的錢財，那是划不來的，所以當時我已經做東渡日本留學的打算，要離開上海我們相識相戀過的這塊傷心地。」

「那麼她私奔後和您同遊東瀛了嗎？」我問。

「沒有。」

「那麼方太太還不又被家人捉回去？」

「也沒有。留學原不是我一定要去的，祇是因爲要離開上海到遠遠的地方去就是了。結果我們還是遠離上海，到了這冰天凍地的北方來。」

戀愛、婚姻完全自由與順利的我，眞想像不出一個千金小姐，爲了掙破愛情的阻網追尋她所愛的人，是要鼓出多大的勇氣？何況貧富的懸殊，使她的生活也要因爲婚姻而做一百八十度的轉變呢！我不由得也爲我們上一代的這位女性，表示崇敬之意。

「所以，亞雷說您對太太溫柔體貼，那是應當的，她爲您付出的也不少。」我說。

「是的，爲了這，我永生對她是抱歉的……」

「那也不見得，她這樣去了，一生得到您全部的愛情，這對她便是生命中最重大的意義。」

這時方先生又回憶的說：

「婚姻的事也眞可笑，她家裡原來那樣不贊成，不惜以武力的手段把她監禁起來，但是後來見女兒已經私奔了，做母親的又捨不得了，怕女兒受苦，要補送豐富的嫁奩給亞姍，卻被我這倔強的魯男子給推了出去，我發脾氣，絕不肯她接受娘家任何半點田地房產甚至首飾。我對她說，薄田我家也有幾畝，不希罕！房屋，我不會讓你受凍餒之慮，不必要！首飾，我的朋友都是淡雅清高之士，沒處擺！亞姍眞好，她就毫無怨言的拒絕了。甚至於連她姊姊們嫁的那幾家富商，都被我一一冷淡了。」

「您倒是個血性男兒！」我嘴裡雖然這麼說，但是心裡不斷在心疼這位小姐。

「我後來也知道我太過分了，可是當時的確是這樣冒火的，亞姍卻處之泰然，跟我過著窮酸的日子，沒有人能看出她是出身在富有之家。就是她的姊姊們從北方遊玩回去，送給娘家的僕婦都一人一件皮袍子哪！你可以想見他們一擲千金的那種味道了。」

「但方太太的氣質確是不同的，她就是承受了百萬家產，也不會那麼做，她天生就是該做你讀書人的太太。」亞雷這麼說，我也這麼想。

「但是我想想當時年輕的態度，也眞是！可憐她自年輕就不戴首飾，雖然她原來也不喜歡濃裝，但是戴一兩樣珠鍊、戒指，又算得了什麼呢！我知道她的母親偷著給了她一些，她動也難得動，自己沒有兒女，遇到有親戚同學的子女結婚，她就拿出來送人。」

這是不是方太太變得很消極的表現呢？我當然不好說，犧牲了生活的享受，親人的遠離，嫁給一個又窮又橫又酸的丈夫，一定是現實的生活使她有了有苦說不出的感覺也說不定，所以我認爲她是消極的。方先生接著說：

「我想，無論如何，我和她娘家不能融洽，是使她暗暗傷心而不肯表示出來的，她的多病，這也是因素之一。而且，亞姍太好了，她一生總爲了不能生育還對我有著最大的歉意，因爲我是獨生子。其實……唉！」方先生說到這兒輕歎著，「幾時我拿了她的詩詞給你們看看，請你們夫婦指教，也可以看看她的心情。」

「啊！」我臉都紅了，請我們指教？他以爲我們是詩詞家的子媳，就是沒學過，燻也燻會了，但是我想「拜讀」倒是眞的，剛才初見方先生談方太太，隔膜得很，現在，我後悔沒有在她生前認識她，眞是沒有緣分了。

方先生又接著說：

「結婚的頭幾年，她和娘家疏遠得很，後來，我的情緒平靜了，她這才每年回一次娘家，住上個把月。她比別人更有懷鄉病，是因爲她婚前和婚後的生活改變太多，我的意思不是指物質上的，物質她不在乎，而是精神方面的。她的家人、她的閨友、她的親戚，都因爲我一下子截斷了，越是得不到的，才越懷念吧？所以每年回娘家也是她生活中的一個希望。她也很乖巧，回來後，難得提她娘家的事，怕我不愛聽，其實後來我完全沒氣了，並且心中還懷著無限的歉意。但是我們一向不談她的娘家，習慣了，就是想要我以此爲話題和她談談，倒無從說起了，我是對她多麼歉疚啊！」

「她是一個完美的女性，她的心充滿了慈善與寬恕，這就是她的美。」方先生仍是滔滔的說，「我想我是不配她的。」

也許是心愛的人剛剛去世，生者太悲傷了，總會想著死者的好處、優點，這也是生者對死者的常情，所以我勸慰他說：

「也不能那麼說，您對方太太的這份情意，使她一生和您廝守，一直到她死，她死也無憾了。」

「不，」方先生說，「她死而抱憾的，她臨死時還對我流淚說，我害了你，剩下你一個人。」

「那是眞的，我相信她不甘心自己的死，她一定願意跟您永遠的廝守著，你們的生活不但像神仙，而且像詩一般的美。」我衷心的說。

方先生也許說得疲倦了，或者他不願再追憶下去，所以他靠在藤椅背上，仰望面前被昇上來的太陽照射著的古松柏。他似有無限的懷念，又感喟的說：

「就算是詩，對於亞姍的一生，也是一首哀詩。」

這是什麼意思？我不懂。也許我懂了，他還是念念不忘亞姍的私奔，他的最初的壞脾氣，以及他們沒有子女，她了無痕跡的從人間消失，這一切一切。

一時，我們都沉默下來，沒有人說話，各人對方先生的悼亡有不同的感慨吧！

這時方先生從藤椅上起來了，他說：

「亞雷，我先走一步，夏先生、夏太太，我太沒禮貌了，初次見面就把自己談得這麼多。」

「哪裡，您介紹我們一個完美的女性，使我們後悔沒得在她生前認識她。」

「亞雷兄，你留下跟他們二位多談談吧！」方先生又轉向我們，「我不過說了一半，讓亞雷再接著說另一半吧！」

方先生去了，我目送他穿過陽光的松柏，轉進紅牆到五色土的方向去。在我的幻象中，他的身邊有一位優雅的女士，伴他慢慢的走。但那影像隨即幻滅了，他祇是踽踽獨行。

方先生走後，我們並未立刻又接著談方先生的事，倒是豫生提議說，孩子們玩得很高興，我們不要回家了，就在這裡隨便叫些麵吃，也把亞雷留了下來。我們都喜歡吃長美軒的鹽酸菜，聽說那是貴州製法，除了這裡，祇有在我的雲南同學錦南姊的家裡可以吃到它。

亞雷和豫生談著時局的情形，亞雷說他也許要到上海去，豫生也說他很想去上海看勝利後第一次的全國運動會，他對體育有特別的愛好，看運動會像看電影一樣的使他高興。同時豫生也和亞雷談到台灣，我們的親友都希望我們去。也許，有時間的話，再到台灣看看也說不定。他們意見相同，兩個人直想搭伴同行呢！

談來談去，我們又談到方先生，亞雷告訴我們方先生的經歷，以及他當年在怎樣的場合中遇到方太太而和她結合。亞雷又說方太太確實是一位優雅的女性，你從她的表面絕看不出她的內心的憂忡，她說說笑笑，彈彈唱唱，崑曲、吹簫，都很精的。她從不在親友的面前露出半點她的憂心，兩夫婦眞是互敬互愛，她雖然多病，看起來也就是一般女性到了某些年齡的多病一樣，不是躺在床上起不來，也不是身上哪部分有了顯明的傷患，所以突然說她病重死去，是很出人意外的，就連她自己也沒有做死的準備，直到最後知道嚴重，什麼都來不及了。

「他們眞像《浮生六記》裡的沈三白夫婦的情趣，不是嗎？」我忽然想起來說。

「愛情彌篤的情形確是像的。」亞雷也同意。

「剛才方先生說，亞姍的一生，是一首哀詩，他的意思是不是說他們的美的生活，是因爲用悲哀換來的呢？」

亞雷聽我這樣一問，他想了一下，說：

「也許方先生不是這個意思吧！」

「不是嗎？」我看亞雷的猶豫不決，好像要說什麼，又止住了，便這樣追問了一下。

「方先生剛才先走了，他臨走時說什麼來著？」亞雷反問我。

「說什麼？」我也忘了。

「他不是說他祇說了一半，那一半讓我再說下去嗎？」

「我多麼願意聽。」我喜歡婚姻的故事，並不是愛探聽人家的祕密，而是從各種不同的婚姻故事中，探求人生的許多問題。

「看看讓我從哪兒說起。」亞雷一面搓著手一面在想。

我正靜待他要怎樣開始那一半故事，他卻又問我：

「剛才你問方先生有沒有孩子，方先生怎麼說？」

「他說——」難道這句話有什麼關係？「方先生是說沒有，但究竟是怎麼說出的，我也沒注意。」

「我聽得很清楚，方先生說：亞姍沒有生育過。」豫生對別人的私事毫無興趣，他卻聽清楚這句話了呢！

亞雷點點頭，腿輕搖著，大概又在思索故事該怎麼說。

「如果方先生是有孩子的，你聽了會覺得怎麼樣？」亞雷突然冒出這麼一句話來。

「有孩子？」我簡直不懂，「有孩子為什麼說沒孩子？」

「他祇是說亞姍沒生育過呀！」亞雷說完直眼看著我，好像要等我的反應。

「我還是不懂，難道……」我的頭腦很簡單，琢磨不出來，「難道他們抱養了一個，或者還有什麼別的……」

「不是，不是，」亞雷笑了，「方先生自己的親骨肉，他有一堆孩子！方先生自己的，而不是亞姍的！」亞雷加重語氣的說。

「啊！」這樣突如其來的轉變，倒使我感情有些激動了，我什麼也說不出來，祇是問，「是怎麼回事呢？到底是怎麼回事呢？」

「方先生剛才的話都是有含意的，可惜你沒有聽出來……」

「哼！」豫生在一旁冷笑我，「她的說話和思想向來不經過大腦。」

「我是一個直心眼兒的人，心裡沒有那麼多彎彎兒，所以跟你結婚的時候，親友都擔心我在你們那大家庭裡怎麼處！」我也笑著報復了這一句實在話。

「所以方先生一再說他對不起亞姍，也就是這種意思了。」亞雷說。

「那麼，方太太知道嗎？」我問。

亞雷微笑的搖搖頭，「剛才方先生不是說，亞姍臨死時還對方先生抱歉，祇丟下他一個人走了嗎？」

「怪不得，方先生說這些的時候，吞吞吐吐欲言又止的樣子。那麼，方太太眞的不知道嗎？這樣說方先生是又在外面娶了姨太太是不是？」我不斷的問。

「方先生的另外那一家，也很融洽，已經有了兩個兒子、兩個女兒。大兒子都大學畢業了，最小的女兒好像也七、八歲了。」

「就沒有人告訴方太太？」我眞佩服人們隱瞞的手段。

「知道的人恐怕不多吧！」

「那麼你什麼時候知道的呢？」

「我嘛！」亞雷算了算，「大概有三年了吧，是在天津遇見的。他是在天津娶的。」

「娶的？重婚？」我的直心眼兒又來了。

「怎樣結合的，我也不清楚，總之，那也是一個正式的家庭，孩子們書讀得很好，老大是西南聯大畢業，復員後回到北平來，還到方先生這個家裡來過，那時方太太已經病了，方先生說他很想在她死前把這件事向太太說明，但是說不出。」

「已經大學畢業了？這麼多年的另外一個家，方太太會不知道？也許她是知道的，不講出來，所以抑鬱而終？」我很懷疑的問。我認爲夫妻在愛情上是最敏感的，一個丈夫能瞞住他的妻，在外面組織另一個家庭，有二十多年沒被發現？也沒被懷疑？可能嗎？除非彼此不關心的夫妻，才在這方面沒那麼敏感。

「確實是不知道的。」

「你又怎麼能確定她不知道呢？」

「如果知道了，就不會是這個樣子了。你看她臨死還念念於方先生沒有子嗣的這件事。」

「難怪方先生說：對於亞姍來講是一首哀詩。方先生不是朝朝暮暮都和太太廝守著嗎？他什麼時候又去和另一個女人生了四個孩子，我眞不懂！我也佩服你們男人眞有辦法！」

說著大家都笑了，亞雷又開玩笑說：

「也不盡然，恐怕我和老夏在這方面都是屬於眞沒辦法的一類吧！」

「那方太太也眞冤枉，她一個人孤孤單單的來了，又走了，還至死對丈夫抱歉呢！其實，方先生爲什麼不向她說明呢？」

「他不忍心說明。」

「那另一位太太是什麼樣的人物呢？」

「我不熟，是一個普通女人，但是也極賢慧，她祇是在一邊默默的教養著自己的子女，從來不打擾方先生的這個家。她體諒丈夫應對亞姍負什麼責任，所以她從不拋頭露面。」

「這樣說起來，方先生眞是好福氣，」我又對著面前這兩位男士說，「不知道在這時代中，還有多少像方先生這樣有福氣的男人？」

「難得！難得！」亞雷作出滑稽的樣子說。

「這樣也好，」我想了想說，「這樣什麼都不知道的死去也好，使她懷著完整的愛情死去，而使方先生抱憾。」

「方太太死後發訃聞，上面可是有兒子的，就是方先生的大公子，他所以叫這大兒子到方太太面前來，原就是想先由這青年給方太太一個好印象開始，然後使方太太對這青年產生了母親般的慈愛之心，再漸漸使她知道這是他的親骨肉，但是方先生來不及這麼逐步的做，方太太就死了。所以死後他便把這大兒子上了訃聞。」

「人們都知道嗎？」

「因此人們才漸漸知道的。最初人家以為是過繼的子姪輩，後來才公開了。」

「唉！這兩個女人，嫁了這麼一個丈夫，形成了這樣的一場婚姻。」我不禁感慨，也不禁敬佩起那另一個女人了。

「完美的女性，完美的婦心。」亞雷在讚美。

「你是指哪一個？」我問。

「兩個都是！」亞雷笑說。

「我相信你們男人都很羨慕方先生吧！」

這時我也想起了我們的大嫂，她是續絃，大哥前妻無所出，他又斷絃十年才娶，所以大哥的孩子們反比二哥的孩子們小得多了。大哥和死去的大嫂感情很好，大哥是屬雞的，大嫂生前便永不殺雞吃。她死後，她的衣物放在箱底，多少年都保留著不去動它，直到娶了續絃的大嫂還是照樣。每逢她的忌辰、生日，續絃大嫂便帶著兒女們供拜，孩子們也很懂事。有一次我看見大廚房忙著給西院做菜，盤盤碗碗端來端去的，我以為大房裡今天打牙祭呢！我這傻子便問大哥的孩子們是什麼日子，孩子們都以很尊敬的口氣說：「是我前頭娘生日」，後任妻子承認並尊重丈夫與前妻的愛情，這實在是使男人得意的一件事。

至於方先生隱瞞了亞姍，在外面又成立了一個家，為完成亞姍在情感上的完整，他始終未透露出來，像這樣的一個婚姻，究竟方先生道德不道德？是否可以原諒？對得起亞姍嗎？我相信如果在一個公開場合談論起來，一定有一場激辯吧？

但是在這迎接勝利的時期，我們又迎接了一種新的婚姻的故事，那便是所謂「抗戰夫人」這新鮮名詞和新鮮人物。報上登載這一類的糾紛的故事很不少。婚姻，有的是自身感情糾紛所造成的，但更多的是環境造成的不幸。

燕芬是妹妹的同學，來自河北省淳樸的農村。她來北平學助產，是為了畢業回去後服務桑梓。她很用功，也很簡樸，來到都市多年，也沒染上城市的習慣。她已經訂婚了，未婚夫在抗戰的第三年便到後方去求學。燕芬等待著畢業，也等待著未婚夫的歸來，她的眼前原是一片光明。但是勝利來臨了，她也畢業了，未婚夫卻遲遲不歸。終於傳來他在後方已經有了「抗戰夫人」的消息。遲遲不歸，正是因爲不知道該怎麼應付這局面。他們是同鄉，除非他不但拋棄了未婚妻，也拋棄了他的家鄉和父母，永不回來，否則他就無法交代。

爲了這，每個人都在痛苦中，燕芬、燕芬的父母、未婚夫、未婚夫的父母、抗戰夫人。燕芬本來是個健康朗爽的女孩子，她因爲來自農村，受教育較晚，所以年紀比妹妹要大上五、六歲，農村女性學業年齡雖晚，但婚姻年齡卻是較早的，她爲了學業和等待，又特別延擱，這樣一來，青春祇在等待中消耗了，卻毫無意義！她消瘦了，太冤枉！

後來聽說未婚夫終於帶了抗戰夫人到台灣去。遠離，是逃避債務的最上之策，無論是金錢的債，感情的債。

我沒有再知道燕芬的結果如何，因爲這時我們正在做離開北平的打算了。

三十七年的春天，關外的人不斷的遷移到北平來，四鄉的人也湧向北平來。跟著人們盲無所從的，南方的跑到北方來，北方的跑向南方去。北平，這不動的城也動盪起來了！

我是抱著怎樣茫然的心情離開我的第二故鄉北平啊！二十幾年的時間，我在這裡成長、讀書、結婚，做了三個孩子的母親！

飛機從西苑飛起，穿過古城的上空，我最後瞥見了協和醫院的綠琉璃瓦頂。朝陽射在上面，閃著釉光，那是我結婚的地方，我記得我手持著一束白色的馬蹄蓮走在協和禮堂的紅氈子上，台上幾位音樂家在奏著結婚進行曲，我想我應該嚴肅的走上台去，因此我一點笑容也沒有。但是坐在兩旁的人卻在逗我，他們說：

「小林！嘿！笑呀？」

「英子！別那麼嚴肅行不行？」

我忍不住了，眼睛剛一瞥過去，我就趕忙咬住了我的下嘴唇，我怕我要笑出來，不，我怕我要哭出來！……

懷中抱著小咪，拍著我的嘴巴，她問：

「媽媽，我們到哪兒去？」

「到台灣。」

她又注視著我的眼睛問：

「你幹麼？媽媽。」

我抹去淚水，把她抱向窗洞，「快看！」

我們已經飛到雲層上面來了，綠琉璃瓦的北平城早在視線中消失了，她深深的埋在雲層下面，我知道她將給我無限無限的回憶。

四十九年十一月十日

五鳳連心記

非常懷念天津小白樓益翔綢緞莊的靳先生（或者是金先生，也許是秦先生）。他穿著蘿蔔絲的羊皮袍，外頭罩著織貢呢大褂。當他說話——說著說著就把袖子口不經心地挽起來，嶄新的藍條白絨小褂的袖口就露出來啦！他打著天津衛，並且用手指著堂兄阿烈：

「您記著。先買五隻大母雞，放在咱們家裡，再養活五天。這五天嘛，天天餵五頓就行啦，餵的是嘛呢？您啦聽著……五兩……上騾馬市西鶴年堂買去。五兩……要新鮮的，五兩……上……買去，就提天津小白樓益翔家老靳……」

堂兄阿烈沒聽清楚，我也沒聽清楚，總而言之，我們一家人都沒聽清楚。

「什麼？什麼？什麼？」我們一連串地問。

「您啦，別著急，我再從頭兒說……」

媽媽確實在著急，因為四妹病了些日子了。她漸漸地黃黃瘦瘦下來，總是一點精神兒也沒有，一個人呆坐在榆樹底下的小板凳兒上。沒有什麼可玩的，她就俯下身子來滿地撿從樹上落下的榆錢兒，從嫩綠色的撿到了黃了乾了的。現在冬天已經來了，她更不好了，還是坐在小板凳上，在廊檐底下曬那早晨照進來的太陽。如果她要有舉動或說話，也都是顫顫悠悠的。

就在這個時候，靳先生來了。據說，他叫開了門，就對王媽說：

「勞駕您哪！我打聽打聽，這家住的是？……」靳先生非常和氣地探詢著。

「姓林，林太太。」王媽很乾脆回答。

「噢，是林太太。我是天津小白樓益翔綢緞莊姓靳。林太太天津有個認識的……？」

「是呀，有個原先在這兒做事的老姊妹宋媽在天津。」再沒王媽爽直的啦。連那口直心快的宋媽都比不上她。

「對啦，是交代我說姓宋來著。」

「宋媽眼前還在蘇太太家使喚著哪？」她倒向靳先生打聽起來了。

「是啦，蘇太太常上我們櫃上買料子，就這麼提起的啦！我在櫃上多年了，自小跟著我們老掌櫃的，也學了點歧黃之術，咱們老掌櫃的看病全是爲修好，……」

靳先生還沒說完呢，王媽就樂開了：

「那敢情好，俺們這兒四小姐可不就病了些日子啦！」

接著，靳先生就被引進來了，王媽居功彷彿這位靳先生是她介紹的，沒有宋媽什麼事了。王媽介紹靳先生說：

「人家靳先生醫道兒可高了，老掌櫃的沒傳授給別人，就算靳先生得了這一傳。四小姐快讓靳先生給號號脈吧！」

五歲的四小姐，蠟黃著臉，很困難地從廊檐的小板凳兒上站起來，兩只眼睛汪著淚，她一定很害怕，更顫悠了。

靳先生看四妹進來，心疼得什麼似的，握著她的小手兒，覷望她的氣色，緊抿著嘴，輕搖著頭，若有所思，不勝歎息：

「不輕，這個症候兒。」

我們屏息地站在一旁，心情當然沉重，王媽更是表情深刻的，長長地「唉」了一聲，打破這暫時的寂靜。

靳先生一邊給四妹號脈，一面點頭沉思，還自己對自己不斷地「嗯」「嗯」著，我們想是他號出點兒什麼來了。

我們一家人的眼睛盯住靳先生，希望他給四妹看出個道理來，這一陣子，四妹中醫、西醫可也給看過不少了。

然後靳先生放下了四妹的手，心情沉重似地說：「太虛了！」媽媽緊蹙著眉頭，我們也都不敢言語，四妹瞪著驚奇的大眼睛。

「這病有多少時候兒啦？」

「將近半年了。」媽媽回答。

王媽不甘心，她對媽媽倚老賣老地說：

「我看這就得打這孩子六個月說起。哪個與六個月的孩子就餵摸條炸醬麵的！」她毫不客氣地責備起母親來了，「孩子的奶媽沒奶了，您也不留神，就讓她餵孩子吃炸醬麵？」

媽沒分辯什麼，誰讓她生了這麼多孩子照顧不過來呢！不過當四妹的奶媽餵四妹吃炸醬麵的那個時候，並沒有王媽呀，她那時候還不知道在哪家給人使喚著哪！她怎麼知道的？難道是我說的？也許，是我那時候親眼看見四妹「提溜」一下把一根麵條吸進嘴裡去的。奶媽因此被解雇了。

靳先生說，要看看這孩子該怎麼個治法兒，他要試驗一種東西，他說：

「這麼著，我再給四小姐扎扎看，要是扎出來流的是黃水，就不礙事。」

「那麼壞的現象是怎麼樣呢？」堂兄阿烈問。

「那就是流綠水嘍！」

可怕的綠水！我們眞擔心。當靳先生從身上掏出一個小包包來的時候，我們幾個小孩子不由得圍上來看。小包包裡是一根極細的小針，不是針，簡直是一根金屬的絲。

他讓四妹趴到沙發上，四妹哭了，她害怕，又不敢抵抗，因爲一向她都那麼軟弱的。但是靳先生眞好，哄著四妹說：

「不礙事，小姑娘，等病好了，跟媽媽到天津找蘇大媽，還有你們的老宋媽玩去。」

「我們叫蘇伯母。」弟弟馬上提出更正。

「噢，蘇伯母，對對對，找蘇伯母玩去。」

我們漸漸對靳先生有了好感，都擠到沙發旁去看四妹。但是靳先生卻和藹地笑笑說：

「別擠在我跟前呀！我會扎錯了地方呀！」

我們祇好都退到一邊。四妹的小棉襖被掀開了，靳先生撫按著四妹的瘦脊背，彷彿在數她的排骨。這時媽媽和堂兄阿烈走上前去，要看看靳先生怎麼個扎法，而也要安慰四妹，因爲她正在可憐地嚶嚶地哭泣。

好了，靳先生按呀按的，大概按到一節頂合適的脊樑骨上了。他把細小的針剛比在那節骨上，忽然，想起什麼來了，他對阿烈哥說：

「您給找個小碟子來吧！」

阿烈哥忙跑去廚房拿碟子去了。靳先生再次把針比在那骨節上，他又想起了什麼，對媽媽說：

「您啦給擰個濕手巾來，要熱的才好。」

媽媽又趕快去找熱手巾去了。這時祇見靳先生兩手在四妹的脊背上摸弄著，老遠的，我們也看不見。等到阿烈哥的小碟子取來，靳先生驚喜地輕喊著：

「您啦看，有辦法兒啦，是黃水兒咧！」

說著，他就接過碟子，從那根細針上，果然擠出幾滴黃水到碟子裡。媽媽的熱手巾也來了。於是小碟子裡的幾滴黃水，被傳給屋裡的每個人看了。

媽媽眉頭也展開了，她並且奇怪而又高興地對阿烈哥說：

「原來我們中國祖傳的方法也和西醫一樣，可以抽脊髓水的！」

但是靳先生否認這些，他連忙擺手說：

「這可不能像西醫的抽脊髓水呀！咱們不能做那事，林太太，您啦知道嗎？脊髓水是從腦子裡下來的，可抽不得呀！那就是腦汁呀，可怎麼能抽哪！」

靳先生說著又接過熱毛巾來，在四妹的背上輕輕地敷按著，就是他抽那黃水的地方。然後靳先生非常輕鬆的，當然，我們大家也都輕鬆了許多，因爲他說四妹的病是可以治療的，因爲流的是黃水，不是綠的。幸虧不是可怕的綠水！

接著，就是關於那五隻大母雞了。

靳先生清清嗓子，很嚴肅地問：

「您啦嫌不嫌麻煩？」

「麻煩？不嫌麻煩。」媽媽和阿烈哥同時回答。

「那就好，我告訴您啦一帖膏藥方，自己熬，我們老掌櫃的就憑這帖膏藥方，治了不知多少疑難大症。您啦知道，前門大街鮮魚口上裕豐家老掌櫃的小孫子兒，大前年個，就跟您啦這四小姐同樣兒毛病兒。就貼了兩帖，現在好了，孫悟空似的，花果山水簾洞都能去咧……」

花果山水簾洞，我們都知道，所以我跟二妹、三妹、弟弟都笑了。我們想，如果四妹好了，眞像孫猴兒似的，到處亂跑，簡直不能想像那是什麼樣子，所以我們笑了。

我們再聽靳先生說：

「這帖藥膏，就是熬起來麻煩點兒，不是我給我們老掌櫃的淨說好話，要是想發財，誰願意把祖傳的方子滿處告訴人？可是我們老掌櫃的就說了：做嘛要自己祕著不告訴人呢？那麼您啦仔細聽著記著：先買五隻大母雞，放在家裡養活五天……買五兩……買五兩……五兩……」

五兩這五兩那，記不住啦，於是阿烈哥說：

「我用筆記下來。」

阿烈哥去拿了筆墨紙硯，一本正經地在筆記老掌櫃的救人無數的那帖膏藥的製法。

「好啦，您啦記著，五兩鮮蓮子，五兩……都預備齊了。五隻大母雞宰了，雞肚子都掏出來，小心著。那五副雞心，小心地摘下來，裡邊洗淘乾淨了。鮮蓮子，剝皮不剝心……連著那五兩……五兩……還有雞心……」

阿烈哥出汗了，也許屋裡爐火太旺，也許是他記不下來急的。他苦笑著，斜著頭，日本話也迸出來了：

「大變難　　！」（好難啊！）

靳先生聽不懂日本話，誤會了，他正經地說：

「您說嘛！太無關係？太有關係啦！一分兒，一點兒，也不能差呀！」

「好。我再來寫。」阿烈哥重新振作起來。

好了，阿烈哥又接下去寫，可是他不斷地自己給自己打岔，停下來問：

「五兩鮮蓮子，怎麼？怎麼樣留住那蓮子心？是不是就是綠綠的那個東西？」

「雞心呢？剝下來，剪一個口，蓮子怎麼樣？塞進去？」

媽媽也打岔，她說：

「好啦，你接著寫吧，這地方我記住啦！」

彷彿是整個寫好了，但是阿烈哥嘖嘖地搖頭歎氣，表示不信任自己。而這時靳先生爲了愼重起見，他竟考起阿烈哥來了：

「這麼看，您啦講一遍我聽聽。因爲一點兒都不能馬虎。」

於是阿烈哥開始重述這一帖膏藥的作法了，頭幾句他還講得不錯，當然啦，那幾句要是叫我講我也會，我在學校背書頭幾句總背得很流利的。但是慢慢地阿烈哥結巴起來了，有的地方是他寫得不清楚，有的地方他竟給前後顚倒了。比如說，雞心還沒有摘下來呢，他就把蓮子心塞進去，那怎麼能行呢？所以靳先生直搖頭，媽也責備他，媽說：

「蓮子還沒有剝皮哪，就塞進雞心裡！」

我也忍不住了：

「摘雞心的時候，要小心雞肝上的苦膽，不要弄破了。」

「眞是，你還沒有英子清楚哪！」媽著急地說，「好啦！這點我記住啦，再往下說給靳先生吧！」

阿烈哥又往下說，但仍是那樣，丟三落四，該煮不煮，該熬不熬。靳先生深深地歎口氣，又不斷地思索著，他是在給我們想什麼好辦法，看怎麼樣才能使阿烈哥記得更好些。忽然，他說：

「要不然，——」但是他又停住不說了。媽是多麼盼望他有好辦法啊！所以眼睛直望著靳先生，聽候他的吩咐。

「要不然，這樣好了，」靳先生終於下了決心，「我這兒有兩帖現成的膏藥，是老掌櫃的替人做的，要我帶給鼓樓老劉家的，——讓我想一想，能不能先勻給你們——」

「那太好了。」媽媽急得想揪住靳先生，「該多少錢由我們來出。」

「那倒不是錢不錢的事，」靳先生就不願意提到錢，「我們老掌櫃一年到頭，捨還不知道捨多少呢？」

「當然，」媽媽很是抱歉，「老掌櫃的應當捨給貧苦的人家，我們，我們就算請老掌櫃的代替我們做的就是啦！」

「那沒話說，蘇太太是我們櫃上的老主顧了。我是想，勻給您啦這兩帖，再給老劉家做旳話，——」靳先生又在猶豫、盤算。「好啦，好啦，沒關係啦！這兩帖五鳳連心膏，就先給四小姐吧！」

「什麼？五鳳連心膏？」阿烈哥問。

「是呀，這膏藥，」靳先生從皮袍裡掏出來這兩帖膏藥來，「就是五鳳連心膏。五鳳，您啦不明白？就是這五隻母雞，連心哪，蓮子，連著雞心做成的呀！」

「噢——」媽媽和阿烈哥都明白了，他們微笑著，念叨著，在欣賞這名稱的美。「五鳳連心，五鳳連心……」

「媽，什麼叫五鳳連心哪？」我聽他們在念這名字，覺得非常好聽。

「五鳳嘛——」阿烈哥向我玩笑地說：「就是你們姊妹五個呀！連心嘛，就是你們的心要連在一起，不要今天你跟我吵呀！明天我跟你打呀！大家和和氣氣的，就不會生病啦！」

「你胡謅！」我不相信。但是我們時常吵來吵去倒是眞的。現在衹有可憐的四妹沒有本事跟我們吵了。

靳先生的這副膏藥做得非常講究，特製的油紙的細長口袋裡，剛好放進一副兩帖。抽出來是嶄新的深紅色膏藥帖。靳先生把它在手掌心上啪啪地甩打了兩下，發出結實有力的聲音。他又提高在空中抖落了兩下，才遞給母親，並且囑咐說：

「要貼的時候，先放在小炭火上融化融化，記住，小炭火，大煤球爐子可不行哪！」

總而言之，這是一副費盡人力的膏藥，做起來要多麻煩有多麻煩。可是媽媽還不知足呢，她接過來以後竟問靳先生：

「還有沒有？我乾脆一回多買兩副好啦！……」

「啊……」靳先生連忙大擺手，「這是看在蘇太太的大面子啦，老掌櫃的輕易不替人做的呀！」

「可是，要是我們貼著好的話，再上哪兒去找哪？」

靳先生瞪大了眼睛：「您說嘛？一副兩帖就保好啦！還再要兩副做嘛？」

「可是，我還沒問一副賣多少錢哪！」媽說著，就要去五斗櫃拿錢了。

「我們不是做買賣的啦！我們不能賣的呀！要買，那就還給我好了！」靳先生急了。

媽媽怎麼肯放手呢！她緊捏著那兩帖紅膏藥，苦笑著說：

「不是，靳先生，您誤會我的意思啦，咱們北京人興吃藥不給錢嗎？那不成了罵人了嗎？我是說，這副膏藥，是老掌櫃的花了多少錢買的藥料，就算是替我買的，我不得給錢嗎？」

這一席話，總算把靳先生說服了，所以他笑了：

「您啦這麼一說，還不大離了。一副五鳳連心膏，我知道老掌櫃的都得用上十五塊大洋的材料。」

「十五塊大洋！」媽顯得有一點點驚奇，但隨即展開了禮貌的笑容。「我去拿。」媽到裡間去了。

好像去裡間五斗櫃的抽屜裡拿十五塊大洋的時間，不該有這麼長，好一會兒，衹聽見媽在叫阿烈哥。

阿烈哥進去了，又一會兒，才出來，有些不好意思地對靳先生說：

「靳先生，我不知道該怎麼說才好，家裡現在衹剩九塊現洋了，我伯母說，請您等一等，她到附近一個朋友家去借一下。」

「那不要緊，千萬不要去借！再說，我也忙得很，還要走幾家。我北京來一趟，就得替我們老掌櫃的趕個十家八家的。」靳先生很痛快地說。

「那麼，請您把地址留下，我下午就給您補送過去。」阿烈哥說。

靳先生哈哈大笑：「我住天津小白樓，愛送，您給我送去吧！坐火車來回去給我送六塊錢！這是嘛話兒？」

既然這麼說，媽媽就很難爲情地把一疊白花花大洋錢拿出來，當著靳先生的面數給他。但是，當媽媽數到一半的時候，忽然驚叫了一聲：「哎呀！」媽的臉紅了。「這怎麼說的呢！我糊塗了，把這塊假洋錢也混到裡頭了！」

靳先生可是和藹地說：「沒有關係，馬馬虎虎！」

「那可怎麼好呢！本來就差六塊不夠，這麼一來，可差了七塊啦！那怎麼好意思呢！唉，嘖，唉！」媽又歎氣又跺腳。歎氣是爲了對不起靳先生，跺腳是爲了因此想起這塊假洋錢的來源。那是媽媽的一位打牌朋友的一次不道德的行爲，使媽媽贏了一塊假洋錢。我還記得有一天是星期天，請同學去看電影，跟媽媽要錢，媽媽叫我自己到五斗櫃抽屜去拿一塊錢，我竟拿了這塊假洋錢，到了中央電影院，搶著買票請同學，就被賣票窗口很不客氣地給打了退票，結果請客變成被請，還弄得愧羞得不得了；用假洋錢，是多麼可恥的事啊！現在這塊假洋錢又混在眞洋錢裡面，給媽媽丟臉了。

「是誰，是不是你把這塊錢給放在一塊兒的？」媽媽好像沒法挽回她的羞慚，竟看中了我。

「我？」我怎麼能承擔這？所以我也紅著臉跟媽媽急了，「我天天上學，都是祇拿銅子兒，我又沒動您的洋錢！」

靳先生大概急著要走，他直說：「沒關係，這值不得什麼，就都給了我吧，省著放在你們家裡禍害！」

靳先生接過那一落雪白大洋錢了。洋錢遞到他手裡以後，他就熟練用這一手把洋錢向另一手溜滑下去，有清脆的好聽的一串洋錢聲，但是其中彷彿陷了一個什麼東西，聲音不對勁兒了一下，因此靳先生說：

「可不是，眞是個假洋錢。」

然後，他就從其中揀出那個和別的一般無二的假洋錢，用兩個手指輕輕地捏著它，放到嘴邊用力地吹了一下那洋錢邊，趕忙送到自己的耳邊側頭聽了聽：

「就是嘛，假洋錢吹了一點兒聲音也沒有，我告訴您啦一個訣竅，眞的洋錢這麼吹一下，您啦聽聽，可就能發出嗡——的聲音來啦！」說著他又抽出一個眞的來照樣吹了一下。

其實媽早就知道吹洋錢分辨眞假的法子啦，可是，她們打起牌來就大方著哪！誰贏了錢，還接過來一塊塊地吹，那多小器呀！而且，不但如此，一塊錢換四十六吊銅子兒，要是輸主拿洋錢出來找的話，還得客客氣氣的，大大方方的，按五十吊找給人家哪！媽就是由於一位太太輸給媽四吊錢，她硬是收進一塊假洋錢，還找給人家四十六吊錢的，她怎麼不生氣！

好了，靳先生要走了，他戴起了他那三塊瓦的皮帽，放下了挽起的袖口，拍打拍打袍子前身。非常乾淨俐落的一個大男人。他臨走又對媽媽說：

「貼了這兩帖準保換了一個小姑娘，到那時候，可給我們老掌櫃的傳名就行了嘛！」

媽高興得什麼似的，鞠躬哈腰地接過來那個油紙口袋，然後放在花架上的那盆梅花的旁邊，花盆架子高，我們不至於跑去拿，我們實在姊妹兄弟太多啦，而且都這麼隨便，愛動什麼就動什麼，自從爸爸死去以後，媽媽更管不了我們了。

媽媽和阿烈哥送靳先生到大門口去了。其實，我每次和媽媽到瑞蚨祥買布去，那裡的夥計都是客客氣氣把我們送到門口，現在怎麼啦，老王媽說的，年頭兒大改變啦，媽竟送布店的夥計送到大門口去了。

祇有我們姊妹幾個在屋裡了，我問四妹：

「怎麼樣，他給你扎針痛不痛？」

四妹搖搖頭，「一點兒也不。」

「不痛你幹嘛哭得那麼傷心？」二妹不服氣。

「我害怕。」四妹顫顫悠悠地說。

扎針怎麼會不痛呢？我也覺得很納悶，而且居然有那麼幾滴的黃水滴下來，真奇怪，真不懂。

這時二妹跑到花架子那裡去了，伸手去動那個油紙袋。

「大姊，你看二姊！」四妹告狀，那是她的膏藥，當然她關心。

可是那個油紙口袋實在很誘惑人，尤其是那兩帖紅帖的膏藥。二妹拿了下來，我們就圍著來看。我們都知道，每帖膏藥是闔著的，很不容易揭開，總得放在火上烤軟了，尤其是在這冬天，靳先生不是也告訴媽說用炭火烤一烤嗎？講究眞叫多。但是，二妹竟一下子把這帖膏藥揭開了！醬紅色的膏子，我拿過來聞一聞，很有點兒香味兒，像什麼？我遞到二妹的鼻子尖上去。二妹使勁抽著鼻子聞：

「像山楂膏的味兒！」

弟弟也搶過去看：

「明明是信遠齋的酸梅膏！」

這時，媽媽和阿烈哥進來了，一看我們在動兩帖膏藥，急了：

「哎呀！別動！別動！」

「媽，你看看，到底是山楂膏，還是酸梅膏？」

媽很生氣，氣我們亂動東西，但是當她推開我們拿過那帖被揭開的膏藥時，她也不免皺起了眉頭：

「嗯？——」

「你聞聞。」我說。

媽果然拿到鼻頭上聞了聞，她又「嗯？——」了一聲，遞給阿烈哥。阿烈哥看一看，聞一聞，也斜起頭皺了眉：「嗯？——」的一長聲。

這時小小的五妹出聲了：「媽，這個——」

五妹高高地舉起她的手，手裡不知捏著一個什麼小東西。

媽低下頭來接過五妹手裡的東西，是什麼？大家的眼睛全集中在那個小玩意兒上。

「好像一個雞苦膽，是嘛，是個雞苦膽！」還是媽媽懂得多，「你從哪兒撿來的？」

「那裡。」五妹指著沙發旁，那正是四妹剛才趴在那裡接受扎針的地方。「那個人扔在那裡的。」

「嗯——」媽再研究一下，「可不是，裡面還有點黃水，可不就是黃水。你看是那個人——靳先生扔的？」

五妹點點頭。

「那你當時怎麼不言語？」媽倒責備起五妹來了。「唉！不知怎麼，我後來覺得有點兒不對勁兒似的。」

「我也是覺得有什麼不對，可是——」阿烈哥說。

「我也是。」我說。

「你也是，他也是，怎麼早不說話呢？」

喲！媽倒賴起我們來了。

媽兩手拿著那帖膏藥，一開一闔，又仔細地研究。

「也許——」媽猶豫著，「也許五鳳連心膏就是這麼樣的？」

「可是剛才那個人說的做法兒裡，也沒有酸梅或者山楂當藥料，怎麼會有那股子味兒呢？」阿烈哥說。

「是嘛！應當是雞湯味兒的！」二妹還開心呢。

「少廢話吧！」媽喝止二妹。「阿烈，你去，追到街上去看看，那個——那個姓靳的走遠了沒有，把他叫回來。」

我看現在大家都改變口氣不願叫靳先生了。

阿烈哥說：「早走過三條街了吧，我上哪兒追去，算了吧！」

這時老王媽進來了，她高高興興地問：

「怎麼說呀，給開了點兒什麼藥了嗎？」

「這個，——」媽把膏藥遞給王媽，「你看吧，這叫什麼膏藥，王媽，你一定懂，你是成年價貼膏藥的人。」

可不是，王媽現在手指頭的裂縫上，還粘著一小塊黑凍瘡膏呢。她的背上、腰上、肚臍眼兒上，經常都是什麼狗皮膏，追風膏的。

王媽把那帖膏藥接過去，她也開一下闔一下，研究膏藥的黏性。

「這是膏藥嗎？」王媽也懷疑起來了。

接著媽告訴王媽，給他錢的經過。王媽竟又倚老賣老地說：

「唉！您怎麼不跟他還價呢？同仁堂的狗皮膏才多少錢一副！他要多少您就給多少！要照我看，您就應當還價給他一塊錢一副還不行！」

「王媽，你眞糊塗，這不是還價兒的事呀！」媽媽說。

「要是眞還價一塊錢就好了，那就把那塊假洋錢給他算了！」二妹又多嘴。

媽聽了倒笑了，大笑起來，好像剛才的事都算不得什麼了。

「想想也怪可笑的，他連眞帶假把我的錢全摟了去了！還用個雞苦膽裝了幾滴黃水嚇唬我。不過——，阿烈，寫封信到天津問問宋媽吧！也許眞是她們介紹來的呢，那麼這副膏藥還是可以貼的。」

媽還在希望那可能性呢！所以，那副山楂膏，不，那副五鳳連心膏，媽仍是鄭重地把它裝進油紙口袋裡，放到抽屜裡去，一面又對王媽說：

「可是這位靳先生，人倒是挺和氣的。」

「他穿得很講究嘛，他的皮袍也是很新的，也許他是一個眞正的靳先生，我們不要隨便沒弄清楚，就說人家的壞話吧！」阿烈哥竟一本正經地發表議論了。因此弄得我們簡直不知道靳先生和他的五鳳連心膏，到底是應該信任呢，還是不可信任呢？

不過他的和藹的態度，淵博的醫藥常識，動聽的口才，眞是使我們欽佩，使我們感動呢！

給天津宋媽的問詢信寄出去了，我們靜等著回音。五鳳連心膏，當然媽媽暫時是不敢給四妹貼的。但是在這寒冷的三九天裡，我們的膏藥專家老王媽，可又貼上了膏藥，並且在那個大雪後的星期天早上，她硬是渾身骨頭節兒發酸，走路都不俐落了，因此媽派遣我和二妹去買早點，指定要買西草廠拐角第二家的燒餅麻花，再順便到斜對面那家羊肉床子，買一斤半的切羊肉，爲的是在這下雪天吃涮羊肉最爲美妙。如果可能的話，媽媽又派遣我們，不妨多走兩步，到鐵門兒帶些醬菜回來。我們很高興的答應了，因爲手裡拿一筆錢像大人一樣，可以東買西買，是最開心的事。而且這幾處都距離不遠，是在一條路線上的。

西草廠是我們這一帶住家的生活物品供應區，尤其是東口一帶，油鹽店、豬肉槓、羊肉床、燒餅鋪、洋貨店、鐘錶鋪、當鋪、首飾樓、香蠟店、南紙店、棉花店、冥衣鋪，太齊全了，因此那也是一個小小的熱鬧區，從早到晚。

聽說油炸鬼這個名稱，是由於那些工作的人，在半夜就起來炸的緣故，但它是多麼地香脆可口。當那小小的圓圈圈被夾進剛出爐的芝麻醬燒餅裡，再用兩個手掌一壓，油炸鬼發出了被壓碎的清脆的聲音，就不由得引起了口涎。正當賣燒餅的把我們買的十個油炸鬼，穿進一根麻藺的時候，我們的面前來了一個男人。

這個男人，他牽了一頭小毛驢，驢背上馱著一袋白麵。因此這個男人的衣服也都沾滿了麵粉。他穿的是一身大粗藍布的大厚棉襖褲，頭上戴了一頂小氈帽。從那氈帽裡露出一小截疊摺了的黃紙頭。通常，那都是一張茶葉紙。鄉下人是很節省的，他們進城來做一批什麼買賣，賺了錢，最大的享受也不過是到茶館沏一壺茶喝喝。但是面前這個滿身滿臉麵粉撲撲的男人，他是一個鄉下人嗎？

最初我並沒有看見他的正面，我祇聽見他對打燒餅的人說：

「要吃，還是吃伏地麵。我說得不算，你立刻的弄點兒嘗嘗就知道了！」

他的聲音帶點怯口，很像王媽的丈夫啦，宋媽的丈夫啦，他們那種鄉下人，什麼京東的、京北的，我也分辨不出的那種怯口就是了。

打燒餅的說：「可不是嗎？別瞧我們這兒堆了半屋子洋白麵，我們還是寧可吃伏地麵，噴兒香。——到底算多少錢哪？」

他們算多少錢，我沒注意，因爲我這時也在給錢，但是等我和二妹各拿了燒餅和麻花預備離開的時候，那個鄉下人轉過臉來了。

「瞧！」二妹推了我一下。

「嗯？」我也幾乎是同時的。

好一個面熟的臉孔，他是誰？我最近還看見的，是王媽的丈夫？不是。那麼是誰呢？

這個人面對著我和二妹，竟向我們微笑了一下，他的笑容更看著眼熟了，但是他隨即收斂了笑容，又轉過臉去了。我們拿了包好的燒餅麻花，向西草廠走下去，可是我和二妹仍忍不住回過頭去看那個鄉下人。

「想起來了，」二妹向我瞪大了眼睛，「是那個那個給四妹看病的那個——」

「得了吧！」我馬上推翻二妹，「那個人是講天津話的，而且也不是穿這種衣服！」

我雖然這麼說了，但是不得不承認他們的確就是一個人。不過，給四妹看病的，賣伏地麵的；說天津話，說怯口話的；穿蘿蔔絲羊皮袍的，穿大粗藍布棉襖的；怎麼可能會是同一個人呢？可是世上又怎麼會有這麼相像的兩個人呢？

我對二妹說：「咱們趕快買了羊肉，再回來看。」

但是等我們買了羊肉走回到燒餅店，小毛驢兒沒影了，鄉下人沒影兒了，門口卻圍了一堆人，我們剛預備走過去，祇聽那一堆人裡有人喊：

「什麼伏地麵！上頭倒是有一層，底下可全是——全是什麼玩意呀！豆腐渣似的！」

又有一個人喊：「上當啦，上當啦！他還找了一塊假洋錢……」

聽見假洋錢，我和二妹不禁拉緊了手。這時又聽說：「追追看。」

「早沒影兒啦！我在打燒餅，哪兒顧得看眞的假的哪！」

我和二妹不知怎麼，聽見假洋錢，倒像我們犯了法，怕被人認出來似的。我心也跳，臉也熱，一直往家裡跑，跑進了家門，我們倆停下來大喘氣，我說：

「我聽見假洋錢，怕死啦！」

「我還不是！」二妹說。但隨後我們都笑了，好像進了家門就平安了，就什麼都不怕了。

當我們進到屋裡的時候，阿烈哥正在唸一封信給媽媽聽。我們倆同時喊：

「媽，我們看見那給四妹看病的人了！」

「在哪裡？」

於是我們倆你一嘴我一舌的，把小毛驢、伏地麵、鄉下人的故事講給媽聽。媽聽了以後很肯定的說：「你們看得一點兒也不錯，我想。他這樣人會說好多樣兒的話，會當好多樣兒的人，才能騙好多樣兒的錢。」

接著阿烈哥說，天津的蘇伯母來了信，說宋媽已經回順義縣老家去生孩子去了，小白樓沒有什麼益翔綢緞莊，她們也不認識什麼會看病的靳先生，而且也不知道四妹病了。但她倒願意介紹媽媽帶四妹到西四羊市大街的中央醫院去看病，不要再信什麼邪門歪道的玩意兒了！

事情已經過去這麼多年了，四妹也在轉過年的春天離開人世，她的兩隻最美麗的大眼睛，給我們留下永遠的印象。提起靳先生，我們並不生氣，後來的許多年，一直到現在，他也還是我們回憶中不可磨滅的人物。他和我們共處了足足有兩小時，這兩小時竟是個永恆。我們認識了一個多才多藝的男人，雖然我們不知道他究竟姓什麼，到底是哪裡人？可是在那兩小時中，他確實給了我們點兒什麼，他使我們在失望中忽然有了新的希望，他給我們安慰，他是那麼和藹，他還能使我們對他感覺歉意（關於那塊假洋錢），也表現出我們雖然用了假洋錢，但我們是誠實的人。

因此，無論什麼時候，我們想起了靳先生，談到他，我們都要笑一陣的。這麼說來，對於那八塊白花花的大洋錢，究竟也不能算是個太大的損失吧！

五十年六月

茶花女軼事

朋友特爲我送來一本早年北方出版的某畫刊合訂本，圖文並茂令人驚喜。翻開第一頁，就使我備覺親切，因爲那期的封面，刊登的是一位美麗的小姐，當年在平津一帶很出名的「閨秀」，而我和她的妹妹是同學。再接著一頁頁的翻下去，使我重溫習到許多人物和事情。那些上了報的「閨秀」們的早年的服裝、打扮，我記得都曾使我嚮往，我希望也有一天能穿著，像大小姐的派頭兒，因爲那時我衹是一個半大不小的初中女學生啊！

「快到了！」送畫刊給我的人忽然說。

「什麼快到了？」我問。

「我主要送它來給你看的那一頁快到了。」

我想那一定是我認識的人，或者那是現在也在台灣的什麼人物的照片。在座同看這本畫報的，還有幾位北方朋友以及寫作的朋友，她們當然也都對這本老畫報很有興趣。

當翻到了某一頁的時候，我驚叫了一聲：

「啊，這不是我嗎？」

許多腦袋都圍攏來看「我」——一個，正是所謂的初中女學生，斜分著頭髮，齊耳朵，一邊攏到耳朵後，一邊斜散披在右前額。

「不說簡直看不出是你。」大家異口同聲的說。

「當然啦，連我自己都不認識自己啦！」但令我更驚奇的是，照片旁邊還有一首新詩，署著我的名字，那是我的大作呀！大家一看我寫的新詩，便同聲的朗誦起來了，那是一篇題名〈獻給茶花女〉的小詩：

你在終夜看守著這脆弱的生命，
你在你的肉體裡還留存著偎抱中所灌輸的溫和的柔情；
你緊緊地對著那默靜無言的唇，
這也是你愛阿芒而給阿芒的愛的初吻。
無情的風，無情的雨，
再加上一個無情而柔弱無力的黃昏；

你為了青春你犧牲了你的青春，

一個不可超越的身體，便會有憂悶，悲苦，和消滅的溫存。

大家越唸越起勁，唸到後來都大笑起來，笑不可抑。

「眞不知道你還會寫詩！」

「而且還這麼新潮！」

「無情的風，無情的雨，再加上一個無情而柔弱無力的黃昏。夠味兒！」

「一個不可超越的身體……完全是現代詩的味道嘛！」

大家拿我的詩大開玩笑，而我對於這首詩的寫作，卻完全沒有記憶了。除非我來回想我們那次公演《茶花女》的經過，我這小小女孩，怎麼在當年也派上那麼個角色！

…………

一個炎熱的下午，靜靜陪我到京畿道的藝術學院去。南溝沿是一條走大車的道路，乾燥的夏日午後，我的白皮鞋淌到土裡去，馬上就變成灰的，南溝沿拐過來就是京畿道，藝術學院到了。

是靜靜的嫂嫂介紹我倆來藝術學院，找一位戲劇系同學黎風先生。嫂嫂也是藝術學院的學生，她和黎風同系。這次他們要排一齣話劇《茶花女》，裡面還缺一位演員，嫂嫂大肚子了，不能參加演出，所以介紹我來。靜靜衹是陪我來的。

我在小學裡也偶然演演跳舞唱歌，但那祇是「麻雀與小孩子」、「七姊妹遊花園」之類的，進了中學以後，我還沒上過陣呢！這次嫂嫂介紹我參加大學生演話劇，在我以爲是不會成功的，因爲我太小了，我怎麼能在人家正式公演裡上陣呢！我雖然有些恐懼，卻願意嘗試嘗試，所以我就壯著膽子來了。

黎風先生早到了，他正在那間大空教室裡等我們，也許不是專爲等我們，因爲那裡也還有幾個人在。黎風先生是個瘦個子，很有禮貌也善談，渾身滿嘴是戲。他很有派頭兒的說：

「歡迎，歡迎，兩位小妹妹。」

然後爲我們介紹七零八落待在那裡的每個人，張三和李四等等。

「阿麗絲（嫂嫂的洋名）跟我講了，她說林小姐口才很好，很會演戲。」黎風說。

「哪裡，」我眞不好意思，我的口才好，衹是常跟嫂嫂辯論一些無聊的小事，諸如珍妮蓋諾和阮玲玉的演技而已。「黎先生，我實在不會演戲的，沒有經驗。」

「不要叫我黎先生，我也是學生，叫我黎風好了。」黎風這時擺的姿勢是這樣的：他把右腳踏在課椅上，斜著身子，又把右手支在右膝蓋上，兩手手掌互握著，開始他的台詞兒：

「莎士比亞說過：All the world's a stage, and all the man and the woman nearly player. 懂嗎？意思就是說：世界是一個大舞台，人人都是演員。我們所演的就是我們的生活。」

「那麼，你們所缺少要我演的，是個什麼角色呢？」我問。

「那寧娜。」

「那寧娜？她是茶花女的什麼人？」我那時雖似懂不懂，但居然看過林琴南譯的小仲馬的《茶花女軼事》，反而還沒讀過劉半農譯的《茶花女》劇本。那是因爲家裡有些林譯小說。

「那寧娜是茶花女的女僕。」

啊！我眞失望，沒演過話劇，一上來就演丫頭戲！而這丫頭，我想當然不會像「晴雯撕扇」、「佳期拷紅」那些戲裡的丫頭那麼重要。我想得有點發呆，這時大概黎風看出來了，他又搓搓手掌說：

「固然，那寧娜原來不是年輕的女僕，但是這是不關重要的，我們可以改成年輕的，台詞也沒有什麼不合適。」

黎風還以爲我怕演「老媽子」，所以改成「大丫頭」，其實還不是一樣使人不高興。但是我又不好拒絕，我從小養成一種習慣，不反悔我曾答應過的事，無論怎麼忍耐，我都要咬著牙完成它。因此這回我又咬了一下牙，好吧，就是那寧娜那丫頭吧！

「密斯林，那寧娜的戲可也不少啊。祇要有馬格麗脫就有那寧娜。除了第四幕在賭場的以外，恐怕每幕都有你。」黎風說。

當然囉，我心想，既是馬格麗脫的貼身丫頭，當然是跟前跟後的。但不知這位飾演馬格麗脫的是什麼人。

黎風忽然想起什麼，又喊在教室一旁的另外一個人過來，重作一番介紹：

「密斯林，這位是加司東，馬格麗脫忠實的朋友。法學院的同學。」

他這樣介紹，我並不太懂，所謂馬格麗脫的忠實的朋友，是指的劇本裡，還是指的台下呢？我對於茶花女的人物，除了阿芒與馬格麗脫以外，全然不知。但是這位加司東也說話了：

「阿芒，怎麼不把你老子和你的情敵介紹給密斯林？」

這時我才知道黎風是扮演阿芒的，那就是男主角了，怪不得那麼——做出那麼瀟灑的派頭兒呢！而且似乎他對於安排這齣話劇，也是主腦的人物。這時老子和情敵都過來了，他們都是戲劇系的同學。

丫頭不丫頭好像對於我沒有什麼太大關係了，因爲他們都對我很友善，使我的緊張的情緒鬆弛下來，我也可以隨意談談了。但是他們都是拿我當做一個不懂事的小妹妹。我不懂的問題，他們都給我答覆。他們問我的功課，問我怎樣跟阿麗絲認識的，問我是不是能抽出時間來排戲，因爲差不多都是在校生，所以都要在晚上排戲。

「在什麼地方排呢？這裡？」我問。因爲我看這間教室是預備排戲用的，課桌課椅並不是整齊的排列著，東一堆，西一堆的。

「不，我們在導演俞教授家裡。在後門那一帶。」

「後門？」我很爲難，那一帶離我家太遠了。但是黎風說，沒有關係，他們是有車子送回家的。並且說，每個星期排演三天，十一月才公演，還有兩個多月呢。

這對於我眞是一個新奇的嘗試，和許多大學生在一起演話劇，不要講公演了，光是大家在一起排演的生活，也一定是很有趣。我喜歡人多，喜歡趕熱鬧，喜歡又說又笑的，這回可要使我大開心了。當我和靜靜告辭他們出來時，和我剛才進去時的緊張的情緒大不相同了。

我們又回到靜靜家去，爲的向阿麗絲嫂嫂報告經過。

嬌小玲瓏的阿麗絲嫂嫂，正倚在床上養神呢，她頂著大肚子，穿著黑香雲紗旗袍，黑蜘蛛似的！黑蜘蛛見我們回來，從床上爬起來了。她說：

「小妹，怎麼啦？都說好了吧？」

「當丫頭。」靜靜替我說了。

但是黑蜘蛛說：「沒關係，這是開始，我們戲劇系的學生，什麼都要演的。你看，李珊演茶花女，那還是妓女哪！」

於是阿麗絲嫂嫂也開始向我宣講戲劇原理了。我覺得很奇怪，像阿麗絲嫂嫂這樣結了婚，已經有了一個孩子，現在又要生第二個孩子的人，怎麼又做女學生呢？聽說阿麗絲嫂嫂的父親是東北的有錢人，特別送女兒到北平來讀書。但她也沒什麼學校可上的，就隨便選了個戲劇系，剛入學就認識了靜靜的哥哥，跟著就結婚生子，不知道到底讀了幾天書？演了幾次戲？現在又對我開講戲劇了，算了吧！

阿麗絲嫂嫂並且告訴我，演茶花女的女主角李珊，也已經結婚，並且是兩個孩子的母親了。

「怎麼生了兩個孩子還念書，嫂嫂，我眞佩服你們。」我確實很佩服嫂嫂，以及這位「茶花女」。但是我常到靜靜家來，從來也沒看過嫂嫂讀書，她衹是喜歡穿漂亮的衣服，和哥哥出去玩玩樂樂的，倒是談到演戲，她就足能唬我一氣就是了。她表演起來，咬文嚼字的唸台詞，兩隻手的動作也特別加強，無論是悲哀或快樂，常常都要昂然的仰起頭，伸出右手或雙手同時伸出去，激動地喊「啊⋯⋯」好像這是話劇裡表演情緒時不可缺少的動作。但不知我在茶花女裡的那寧娜這丫頭，是不是也要那麼樣地「啊——」呢？

啊——眞的，我恨不能這時就有一本《茶花女》劇本在手頭，我急於想知道它的內容。

從靜靜家出來以後，我就等不及地到琉璃廠的幾家新書店，去找《茶花女》，果然在北新書局被我找到了。我的興奮的心情，幾乎是半跑半走地回家去。我家離琉璃廠很近，琉璃廠是我從念小學到現在每天必經的路，除了其中有幾年曾搬到較遠的地方去，但自父親死後，我們又搬回這一帶來，這裡給了我最親切的感覺。琉璃廠祇有一間較大的建築，那就是商務印書館，從啓蒙到商務印書館去買小學課本，到現在我到北新書局買《茶花女》，而且要上台演戲了，這是多麼令人興奮的事呢！

一回家，我就連飯也顧不得吃地躺到床上看《茶花女》，我念書總是這樣一副懶骨頭相。打開書，當然是先找那寧娜的台詞，看看那寧娜到底要出場多少次，黎風不是講五幕裡我倒有四幕要出場嗎？果然，我隨便翻翻，總有那寧娜出現在書上，比如：

「知道了，姑娘。」

「姑娘，要皮大衣麼？」

「是，姑娘。」

「姑娘，有一位先生要請姑娘說話。」

「伯爵到。」

「再有五分鐘就好了，姑娘。開在什麼地方呢？在飯廳裡麼？」

屬於我的這種台詞，怎麼能表演出阿麗絲嫂嫂那種伸出手「啊——」的激動之情呢？我有點失望，而且「伯爵到」該怎麼個表演法呢？就像王媽吧，如果有什麼伯母來找媽媽時，王媽在大門口就喊了：「起來啵，太太，牌角兒全到嘍！」王媽最沒規矩，那寧娜能像王媽那德性嗎？

現在我正式地翻開第一幕，才知道一上場就有我，動作是「正在工作」，想必是擦桌子抹板凳的，然後有人叫門去開門。卻沒想到再翻過來，居然那寧娜有了大篇談論，是和一個名叫法維爾的對話，例如：

「笑話了！她所有一切的幸福，就全在這一個人身上。他是她的父親，即使不完全是，也幾乎是父親了。」這總像個話劇詞兒了，可以以話劇味兒表演出來，但是一個丫頭片子怎麼能講出這麼一派正經的詞兒呢？

我覺得躺在床上祇能看小說，卻不能唸台詞，便從床上起來，站靠在書桌面前，拿腔拿調的唸著我的台詞，有時也試著唸別人的台詞。妹妹們站在玻璃窗外看著我在笑，母親也笑罵我：「在發瘋！」

無論如何，它對於我，是一件新奇有趣的事，我想除了念書以外，我還有更多有趣的事想看、想做，因此，我便不能把書念得好些。

白米斜街是在鼓樓前大街一帶的一條胡同，胡同不怎麼寬，但是胡同裡很有些大房子。後門這個地區，住著許多沒落的旗人，那些大房子也許就是當年他們的府第，但是民國後都被他們廉價出賣了。俞教授在白米斜街的這所大宅子，就聽說是前清的什麼福晉的房子。寬敞的院落，帶遊廊的大四合房，院子地上墁著大方油磚。正廳是客廳，我們排戲就在這裡。

我在洋車上搖了半個多鐘頭，才從我住的南城搖到北城來。對於北城的地理，祇有個什剎海是比較熟悉的，還有偶然隨著家人到什剎海那裡的會賢堂，參加朋友的婚禮。否則，一年也難得到這一帶來一次。

當我第一天在俞教授家寬敞文雅的客廳裡，會見了和藹可親的俞教授夫婦和排戲的朋友們時，他們都待我好極了，他們都說：

「她是這裡最小的小妹妹。」

另外有兩位女角雖然也是中學生，但她們是高中女生，個子長得高，樣子很帥。女主角李珊，也對我很好，另一個女配角，聽說是燕大的女生，很闊氣，架子也大些，丈夫總跟在身邊。（又是一個結了婚的女學生！）

至於男角，黎風和什麼加司東，喬治老爸爸，我算是熟悉了，另外一些，還要待我慢慢去認明，他們也都是來自各大學，有一兩個不是學生，年紀比較大一些。

我們開始排演祇是先對台詞，而無動作。瞧，一上場不就是我嗎？第一場、第二場、第三場，我的吃力的台詞來了。我不以為那翻譯的文筆是頂適合演出的，有些地方不是國語，有些地方太咬文嚼字。我怎麼敢批評前輩作家？但是當我說：

「……現在我可以向你說的話，乃是我自己看見的事。……」

說這句話的時候，我簡直不知道怎麼個「乃」法兒。還有：

「……是什麼一回事……」

豈不是應當說：「是怎麼一回事」才對嗎？

又比如別人的台詞裡，有像這樣的話：

「你就是問到了也能有得什麼好處呢？」

「馬格麗脫，你這種念頭，祇須有得一點，就馬上可以……」

「得」字的用法，在這裡彷彿是多餘的，但是像這樣的地方太多了。

排演的生活很有趣。無論背台詞、表情，對於我所演的那個角色，都不是困難的事。但是俞教授卻說，不要小看那寧娜，她隨侍茶花女身邊，並非不重要，因爲許多茶花女的朋友都和那寧娜談很正經的事，她也隨時注意茶花女的身體和心情，爲她應付那些客人。而且，俞教授誇讚我說：「小林兒很能把握那寧娜的性格，不錯，不錯！」我聽了當然很高興，因爲我很輕鬆地演出了這個角色。大家也都喊我「小林兒」，這原是我在中學裡同學對我的親密的稱呼。

至於另外的人們，李珊的茶花女和黎風的阿芒，當然是最吃力的了，一場戲，尤其是祇有阿芒和茶花女單獨對話的時候，總要三番兩次地排演，做主角畢竟不簡單呀！但是另外的人，卻眞有幾個大笨蛋的，也需要一次又一次的重排，既然這樣笨，這樣沒有演戲的才分，幹嘛還要演呢？這也就難怪爲什麼戲台上有一生都給人跑龍套的了！看了他們，我的人小心不小的心靈裡，就會掠過一個念頭：演戲不是一件很難的事，下次如果有機會，我可要演大一點的角色了。

俞教授家是個溫暖的地方，碰到星期六或星期日，我們就提早在下午排戲，總會有些點心好吃的，沒有戲的人，就可以在一旁聊聊天，下下棋，最苦的當然是阿芒和茶花女，因爲總是有他們倆的戲，總是在那裡排戲，而且俞教授也特別注意他們倆的戲，一絲也不肯放鬆的。

有一天，我們在排演第二幕後半場以後的戲，這是馬格麗脫和阿芒的重頭戲，因爲這是他們倆訂情的戲，有許多你愛我、我愛你的詞兒。第十二場下來以後，就沒有別人的戲了。因此，飾演伯爵和飾演茶花女鄰居賣帽子的燕大闊小姐，都到飯廳那裡去下棋了。祇有我還留在一旁，因爲在阿芒和馬格麗脫的大段談情說愛之後，是由我來結束這一幕的。

李珊的戲演得非常好，那是誰都可以看得出的。這一場戲，她一個人留在房裡等阿芒，於是她就半躺在那躺椅上，因爲茶花女總是病懨懨的。我很喜歡聽兩人這大段台詞，因此默默坐在屋角上留心觀察和傾聽，很有私淑之意。我手裡也拿著劇本。

阿芒進來了，照劇本上的動作，是應當「就往馬格麗脫膝上坐下」，然後輕喚著：「馬格麗脫……」當然，在我們中國是不作興那樣表演的，所以就改成阿芒進來就坐到貼近躺椅旁的一個小矮凳子上，開始了他們之間的一場先辯後愛的戲。

這兩人的對白，有時他忘了詞，有時她忘了詞，有時導演又認爲應當改變動作。有一個地方馬格麗脫神情淒苦地說了一大段怨艾的話，然後阿芒用手撫著馬格麗脫的胸前說：「馬格麗脫，你瘋了！我愛你！……」但是這處地方的表演，不能得到導演的滿意，我們總不能把「我愛你」說得像西洋人那麼自然，所以戲就三番兩次地在重排。而放在馬格麗脫胸前的那隻安撫的手，竟停在那裡不動了，在等著導演的命令。

俞教授並沒有注意他們，因爲他在專心地看著劇本，考慮怎樣的修改。我可在注意他們了，黎風有意把手停在李珊的胸前，但是那樣子，就彷彿是導演在這個姿勢下叫停的，所以他一時不能改動姿勢，必須等待。這樣支持了有那麼一會兒，李珊忽然感覺到了，但是她並沒有生氣，反倒斜睨著他，嬌嗔地說：「拿開！」黎風這才嘻皮笑臉地撤開了他的手。

這一幕戲外的戲，被我看到了，覺得很不舒服，因爲我一下子就想到，李珊是兩個孩子的母親，現在演著愛情戲，竟演到這種樣子。她的丈夫是什麼人呢？她的孩子是什麼樣子？爲什麼他們從來不來參觀她排戲呢？像燕大小姐的那位丈夫，不是天天隨侍左右嗎？

好了，眞戲過去了，假戲又開始了。俞教授要他們倆再來一次，於是阿芒說話了：

「我要你饒恕我！」

馬格麗脫說：

「你不能邀到我的饒恕！」

在馬格麗脫這句話的下面，劇本上括弧裡的說明是「阿芒有相當的動作與表情」，這相當的動作與表情，俞教授告訴黎風說，要表現出痛苦、悔恨。而邀不到饒恕後的激動的動作，便是握拳按於自己的胸前，略爲搖晃著上身，而滿面祈求原諒的望著馬格麗脫。黎風許多次都表演不好，我覺得眞奇怪，怎麼把手撫在李珊的胸前，就表演得那麼認眞，而按著自己的胸前，就弄不好了呢？

這「相當的動作和表情」，挨了許多次才完成了。繼續的台詞就是他們之間的什麼「我的心膨脹著全找不著個安慰之處，因此我們就衹有一味的憂鬱了」，什麼「你是我墮落在煩擾的孤寂的深處所要呼喚的一個人」，這種大長串的洋句子和不夠口語的譯文。但是它是話劇，多少年來，話劇已經給我們中國的語言形成另一個形式了。所以，凡是話劇，說話就是那麼個味兒，日久天長，也就見怪不怪了！

大堆頭的這樣的對話與相當動作的表情之後，我跟在阿芒那句：「你是天仙，我愛你！」便出現了，那寧娜的叫門和一聲「姑娘，有人送來一封信」結束了第二幕的一切。

天眞的我，到現在才發現黎風和李珊戲外的戲。使我第一次感覺到這種場合，是極容易產生感情的，也就是所謂的假戲眞做。那麼它是否不適合已經結過婚的人呢？怪不得那些電影明星都那麼容易離婚、戀愛什麼的。也怪不得燕大小姐的丈夫要跟著她，而李珊的丈夫從不出現。

這時已經是深秋了，每逢排戲的日子，下課回家趕快吃完晚飯便出發到俞教授家。洋車進了和平門，再穿過南池子、北池子，直奔後門。常常是，出家門時天已薄暮，一路在洋車上搖晃著，背著我的台詞，看著馬路兩旁的落葉，被秋風吹了在地上滑走的聲音，不知怎麼，心中有異樣的感覺。到俞教授家，往往天已經全黑了，大廳裡燈光輝煌，人影晃動。和這些大哥哥大姐姐們在一起，我看到的，領悟到的，在戲以外，也不少。

讓我再來回憶燕大小姐。實在，她是馮小姐，或者是張太太。從她日常的穿戴，可以知道她的環境是不錯的，張先生也很體貼她。她瘦瘦高高，沒有什麼了不得的美，衹是優渥的環境，打扮更顯得高貴些罷了。她不像其他的學生，她缺少北平女學生的樸素的味道，反而像是個闊少奶奶。她來了，每次都換了不同樣的講究衣服，和俞教授談著彷彿高人一等的那些事情。但是她也很熱心，當我們排演得差不多的時候，該準備服裝道具了，更顯出她的熱心與大方。要知道這雖然是賣票公演的話劇，但畢竟不是純商業性質的，所以衣服能借的就借了。

我們是男角穿西裝，女角穿旗袍。五個女角一律是拖地長旗袍，除了李珊新製了兩件以外，我們的衣服大半是由馮小姐借來的，而且大半是她自己的，她樂於借給人，也正可以表現出她的闊綽。

按說，我祇是茶花女的一個女僕，是不必穿得講究的，但是馮小姐也給我弄來了一件漂亮的拖地綠色長絲絨旗袍，而且還滾著銀邊。馮小姐所飾演的柏呂唐司，是茶花女的鄰居，一個多嘴多事的胖太太，常常跟茶花女借錢的。但是馮小姐既不胖，也不窮，她在五女角中打扮得最漂亮，衣飾之高貴超過了茶花女。在排演的時候，她已經準備好了她的新裝，一件件擺給我們看。

她來了，總是珠光寶氣，給我的威脅不大，反正我是小女孩，無論在戲裡戲外，都是無足輕重的，而且年齡的距離，也不是大家的對象，大家反而對我特別好，小小的我，在這裡倒是站在超然的地位，多麼有趣。

給李珊的威脅當然最大，李珊的家庭環境好像也不太壞，但是比起馮小姐是略遜一籌的，一切的妒忌，總是產生在相差最近的對方，所以李珊和馮小姐有點頂牛兒啦！

李珊唯一能頂得過馮小姐的，就是她是主角，戲演得好。馮小姐呢？她拿物質嚇人。我看得出她們之間的痕跡，但是我不明白為什麼要這麼對立？也許這和我在學校的功課一樣，那個功課最好的同學，我倒不在乎，一點也不妒忌她，反而是考試跟我不相上下分數的，給我的彆扭最大。

正在我們準備服裝道具，距離公演不遠的時候，有一天，黎風忽然來到我家。這眞是一件突然的事，我們三天兩頭在俞教授家見面，他有什麼事必得到我家來找我呢？他很自然地說：

「我今天到你附近住的一個朋友家，順便來看看你。」

「咱們今天不是要對最後一幕戲嗎？」我說。

「是的，我們一起去吧？」他問我。

「可以。」我說完了，忽然想，現在是快要吃晚飯的時候了，我要不要留他吃晚飯呢？當然要。所以我又加上一句：「那麼請在我們家吃了便飯再去吧！」

「好呀！」他斜著頭，做得很自然，透著跟我很熟的樣子。於是他問：「伯母呢？我還沒見過。」

我說媽媽剛好被人請去吃晚飯了。他就和我們姊弟幾個一桌吃，這樣更自然了，他有時也逗逗小妹妹、小弟弟。

我還要說，他雖然做得一副舞台明星的派頭兒，但是他的穿著是相當窮酸的，而且我知道他的服裝道具，都要俞教授給他張羅著各處借，阿芒總該穿得漂亮些。

在飯桌上，我們閒聊著演戲的事，他很稱讚我：

「小林兒，你實在是有演戲的天才，我們希望你有機會參加我們下個戲。」

「我覺得我演得普通而已。」

「不然，你的戲並不簡單。俞教授也常在稱讚你。最要緊的是，我們要有演員的氣質。」

「什麼氣質？」我不懂什麼氣質，我反正就是那一副樣子。同學們常常稱我「小機伶鬼」，小機伶鬼還有什麼氣質嗎？

「你肯虛心地接受指導，更求進步，這就是氣質。比如你看——柏呂唐司吧——」他是指馮小姐了。

「柏呂唐司怎麼樣？」我問。

他聳了個肩，眉毛眼睛一挑，一派洋氣質！他說：

「不是爲藝術而藝術。」

「那是爲什麼呢？」誰又爲藝術而藝術呢？我連這句話都不太懂，難道我是爲藝術而藝術？說實話，我是爲好玩、好奇，這是我從小就有的毛病。在我來說，英文月考沒考好，反而把台詞背得滾瓜爛熟的，這是我的「毛病」，談不到「藝術」咧！

「她是爲表現物質而來的。」黎風說。這話倒是有幾分道理，但是我以爲馮小姐也有她的好處，她爲大家的服裝盡了最大的努力，這在團體生活中，不是「氣質」嗎？但是黎風又說了：

「我看柏呂唐司跟你也很談得來，她有跟你談到什麼嗎？」

「什麼談到什麼？」我不懂。

「比如，有沒有談到我們，或者批評些什麼。」

「我們是誰呀？」我好像在追根刨柢，其實不是，話不說明白，我就不懂，我不懂就不能做肯定的回答。

黎風又聳聳肩，說：

「沒有談到我和李珊，或者尼希脫和朱司打夫？」

我猜想到「我們」是指他和李珊的，但是怎麼又多出什麼尼希脫和朱司打夫來啦！這兩個人在《茶花女》劇中是一對情人，難道在台下……？對了，每次總是他倆一道來的，我怎麼這麼天眞，就不會往那上面想？但是如果今天晚上我和黎風一道去的話，人家會說什麼嗎？不會，我是那麼小，那些事還輪不到我呢！但是我要回答黎風的問話，我說：

「沒有，從來沒說過什麼。」

黎風也的確是過慮，這正應合了那句老話，「如要人不知，除非己莫爲」呀！

馮小姐跟我這小女孩講這些幹什麼呢？不過馮小姐和別人談起他們倆的時候，確是有那麼一個表情——撇嘴。什麼話不說，一撇嘴，就盡在不言中了。但是她從來沒在我面前「撇」過他們，也許她覺得我太小，也許她怕我小孩子不懂事會告訴他們。不過，黎風以為馮小姐會說他們什麼呢？

吃過晚飯，我們便出發到俞教授家去，無非是坐在洋車上搖吧，他一輛，我一輛，老頭兒車搖到後門，天黑得很了，又很冷。黎風連件大衣都不襯！衹有豎起西裝的後領，縮著脖子，可是還在洋車上跟我談了一路的戲劇理論，並且一再的，要我參加他們的下一個戲，彷彿戲劇前途非常遠大、可觀。

當我和黎風到達的時候，俞教授家溫暖的客廳裡，已經來了一些人。馮小姐和她的丈夫已經到了，像這樣冷的天氣，馮小姐坐洋車就有一條自備的俄國氈子，她的張先生也提著一些為了顯示給大家看的東西，比如幾件明明我們都不可能穿著合適的旗袍什麼的，總是這樣拿來拿去的，眞也不嫌麻煩。李珊也來了，客氣的誇讚著馮小姐所帶來的衣服。

俞太太煮了一些咖啡，分給我們喝。正在這時，尼希脫和朱司打夫進來了，我這才注意，他們並不避諱他們同來的事實，顯得那麼自然，他總是攬著她的腰，為她拿大衣，眼睛總是脈脈含情地盯著她，十足一副護花使者的姿態，肉麻死了！

再接著，那個扮演男客加司東和女客歐萊伯的同時進來了，似乎他們倆也帶著那種味道，已經交上了朋友的那種味道。我現在變得敏感起來了，以前我不太注意這些事。

因爲天氣冷了，排戲完畢太晚了，爲了女生的關係，我們回家就叫汽車分別送。我和尼希脫和朱司打夫，還有喬治老爸爸是一路的，所以我們合乘一輛車。喬治老爸爸很近，先下車，然後順路應當是尼希脫，但是他們都是先送我，說得好聽是愛護我，其實還不是愛護他們自己！當祇剩我們三個人的時候，我眞彆扭，他們倆已經到了難捨難分的地步，有個機會他就得靠近她，攬著她的腰。就說在排戲休息的當兒吧，她如果坐在沙發上，他就得坐到沙發扶手上，手搭在她的肩上，老是像在照相館裡拍訂婚照的姿勢。我在車裡總是避免我的眼睛接觸他們，我直盯著司機的後腦勺。祇聽見他小聲的跟她說話，那樣小的聲音並不是怕我聽見，而是因爲他們正「情話喁喁」呀！

這時我已經聽說朱司打夫是結過婚的，但是他的太太並不在北平，而且尼希脫原來也有男朋友的，我簡直不懂，像演話劇這件事，究竟是好是不好呢？

公演前，要對外宣傳了，所以我們到照相館拍了一些照片，五位女角全體出席，男角祇有阿芒和朱司打夫去了，這就是舞台或銀幕的男女不同之處吧？女人總是重要些的。就在我們預演那天，畫刊上出了一個專頁，第一次向外介紹演員，在介紹那寧娜的那一條下面寫著：

「那寧娜——她是馬格麗脫忠實的僕人，林英子女士飾，她是一個活潑的小孩，北平話說得十分流利。」

那一次的特刊，非常轟動，同學們都知道了，原來很喜歡我的英文老師，也知道爲什麼我的月考考得那麼糟了！

預演那天不售票，招待的都是戲劇界人士、各大學教授、同學什麼的。演一幕，批評一幕，又拍戲照。大家的意見不少。這樣演完，已經很晚了。

協和醫院禮堂是個衹有三百多座位的精緻的舞台，高尙的戲劇和音樂會才在這裡演出，我有幸登上這個舞台，心中自是十分高興。沒有我的戲的時候，我就從前台幕縫偷偷向台下看，看有什麼認識的人，我看見幾家大學的出名的校花、皇后，都來看了，更是開心，我一直就喜歡看美麗的女人。

更使我興奮的是，在預演閉幕後，居然有兩位大學校花到後台來找「活潑的小女孩」那寧娜，一位大學教授也說那寧娜演得很好，結果是除了茶花女之外，似乎我是居於其次受人誇讚的演員了。我高興得立刻覺得自己重要起來，無論如何，我是有點好名的虛榮心的。

正式公演期到了，似乎我在這裡是個最輕鬆的人物，因爲在正戲之外，我沒有別的戲了；不像黎風和李珊，像尼希脫和朱司打夫，像加司東和歐萊伯那樣，以及馮小姐，還是每天都在忙她不同的衣服。

第一天，當第二幕開始時，是在茶花女的梳妝室，我在走來走去收拾屋子，沒有台詞，這時應當是柏呂唐司進來，和茶花女有大段的談話。但是幕開了一會兒，柏呂唐司沒有出場，眼看我和茶花女冷在台上了，茶花女焦急地在梳妝檯旁用小銼刀在磨指甲。不知怎麼，我靈機一動，就很自然地走到梳妝檯前茶花女的身旁，看了她的手一眼，然後說：

「姑娘，這套修指甲刀，是——是公爵送你的嗎？」

茶花女也很自然地回答說：

「是的，他總是關懷著我，不會拒絕我的要求的。」

「非常的講究啊！而且公爵送你的總不是普普通通的。」我又造了這幾句。但是柏呂唐司還沒有出場，眞是奇怪，我不得不再造台詞了，我說：

「姑娘，怎麼柏呂唐司太太還沒有回來？」

「是呀，我也奇怪，她早該回來了呢？」

這時，馮小姐總算出場了，她又換了一件漂亮的衣服，不合她所演角色的衣服。看見她進來，茶花女這才開始了原來該有的台詞：

「啊，我的好朋友，晚安！你見著公爵了沒有？」

這一場戲演到茶花女叫我去開門，我才下場到後台，焦急的導演俞教授，一下子握住了我的瘦小的肩頭，他激動的說：

「啊！我的小那寧娜，你太好了，太好了，能夠一點痕跡沒有的加了這幾句話，挽救了這危險的誤場。」

後來，李珊下場回到後台來，也緊握了一下我的手，並吻著我的面頰說：

「可愛的小妹妹！」她是當著馮小姐這樣吻我並且對我說的，當然，我知道她的意思是什麼。

馮小姐誤場，原來是她在後台等著張先生給她取那件新衣服；左等右等，不知道前台已經到了該她上場的時間。協和禮堂的化妝室在後台的下面，有如地下室，所以一定要自己注意時間的。

我並沒有以爲我隨便加上的那幾句話，是有什麼重要，對於我來說，也不是什麼困難的事，但經俞教授和李珊以及其他人的讚美，它竟變得重要了，而且，我也變得重要起來了。

全劇似乎沒有什麼可挑剔的地方，祇是到了最後一幕的最後一場，茶花女要死了，有五、六個人圍著她。馬格麗脫說：

「我已沒有痛苦了，好像我的生命，已回復到我身體中來了。我覺得我從來沒有這樣的舒服……可是我活著，我覺得我很好過！」

然後的動作是「坐下，作瞌睡狀」。這時是加司東應當接著說：

「她睡著了！」

這句話一說出去，台下竟哄堂大笑起來，它破壞了悲慘的氣氛！因爲這時人人都知道茶花女是死定了，並不是睡覺，怎麼居然有這麼個大傻子還說「她睡著了」這種話呢？這是一個世界名劇本，不知道外國人上演的時候，到了這地方說這麼一句話時，台下的情緒是怎麼樣的？還是我們的加司東看起來特別傻氣，才引致這樣的哄笑呢？但是在排演的時候，我們倒從沒有不對碴兒的感覺。

然而在加司東說了這句話以後，衹有阿芒、朱司打夫、尼希脫三人每人有短短一兩句話，這五幕悲劇就閉幕了。所以，在這情形下，加司東那句話，勢必要考慮了。後來還是由俞教授修改了，就是加司東不說「她睡覺了」，而是衹要懷疑的說：「啊——她……？」就可以了。這樣一來，第二天，第三天就沒有發生那突然哄堂大笑的情形了。

這一齣茶花女，排演了兩個月，才公演了三天。總算贏得了許多讚美。話劇是從中學到大學爲青年學生所喜愛的，歡送畢業、學校校慶，在土風舞之外的最重的節目了。這雖然是以藝術學院爲領銜的話劇公演，但是演員卻大多來自其他各大中學。三天公演後，有一次慰勞的宴會，同時也是惜別之宴，因爲自此以後，我們各自回到自己的學校，也不可能再有機會仍是這些人聚合在一起了。

我穿了一件半長的黑底紅花的旗袍，頭上斜戴著一頂米色法國帽，出席這個宴會。大家都彼此叫著劇中人的名字，因此大家見小小的我進來了，便叫著：

「那寧娜，來這一桌，參加我們這一桌。」

席開三桌，因爲還邀請了一些演出的關係人。我被拉到一個桌上坐下了。大家吃著，說笑著，非常融洽和快樂。彼此敬著酒，這桌的人跑到那桌，那桌的人跑到這桌。大家又都跑去向俞教授和俞太太敬酒，表示對他們的感謝與敬佩。敬酒的事，我不太會，但是這時不知誰對我說：

「那寧娜，向俞教授與俞太太敬酒吧，他們要收你做乾女兒哪！」

我害羞靦腆，但是俞教授和俞太太卻向我笑瞇瞇的舉著酒杯站起來了，我也就不得不舉著酒杯走過去，向他們敬了酒，俞太太笑著說：

「願不願意給我做乾女兒呢？」

「當然願意。」

大家也在一旁助陣起鬨，終於迫得我開口叫了一聲「乾爹，乾媽」。

這時負責宣傳方面工作的朱司打夫也向大家宣布，某畫刊要再出一次演後的專頁，因此他指定要幾個人寫一點稿子，他知道我喜愛文藝，並且也曾讀到我在一個大學刊物上投稿的新詩〈大街上〉，所以他要我寫一首詩，代替那「演後感想」之類的文字。

〈獻給茶花女〉便是在那情形下完成的了。

在那以後，我並沒有再參加黎風的所謂「下一個戲」，事實上，也並沒有那個「下一個戲」，因爲我聽說他和李珊之間，有不太好的演變。

而且，在我的記憶中，自那以後，我沒有再見過俞教授和俞太太幾次。其他人的消息，也是一個都不知道了。一場戲，就像一桌筵席，過去就過去了。但是它值得給我記憶的，是因爲那是第一次，以我個人去體驗一個從沒有過的生活，在這以前，我祇是家庭與學校間的女孩子。它使我無形中學到了一些怎樣與人接觸，並且觀察了一些人物的類型。這是我第一次接觸社交生活，並且第一次，我的名字在報紙上顯露出來。而且最主要的，使我感覺到話劇界的人，是多麼容易發生戀愛的事件啊！

五十一年八月十四日

地壇樂園

城之南有天壇，每年冬至皇帝在那裡祭天，城之北有地壇，每年夏至皇帝在那裡祭地。天壇內又有祈年殿，是爲了祈禱豐年。在皇帝的時代，這是重要的祭祀，被稱爲「國之大典」。民間也分別做了餛飩和麵食奉獻，所謂「冬至餛飩夏至麵」的俗語，也許是緣於此。

逛天壇的時候，看那片廣大的地方上，用白石和琉璃所建造的壇殿，不禁有思古之幽情，想像著皇帝率領群臣向天遙祭，感謝大自然對他的國家的賜予——風調雨順五穀豐收。

天壇因爲有個瑰偉的祈年殿的建築，所以它更有名，它的圖片被印在明信片上、觀光冊上，傳到全世界去。地壇不然了，它雖是古蹟，卻沒有被列入到北平觀光的日程表上，它靜靜的處在北郊外，不爲外人所知。

不知道何年何月，地壇被列爲市民公園，又不知道何年何月，那一個廣大的處所，被利用做爲收容許多不能面對現實的人的地方——瘋人院。

青年會舉辦了一次參觀團，列了幾個地方，像帥府園協和醫院，北海北京圖書館，地壇瘋人院。我選擇了最後一個參加。事先我什麼都沒想到，祇是爲了滿足我的好奇心，因爲地壇我沒去過，也不知道把瘋人合在一起是個什麼樣子。

我們一行人包了一輛公共汽車，從青年會往北開，直奔東四，經過北新橋，交道口，出安定門，過了環城鐵道再不遠，就到了那塊地方。

下了車，我忽然有點害怕了。瘋子，不是被人類遠離的人類嗎？他們失去理智了，所以他們不能和我們有理智的人共處，因此才被送到這地方來，然而我們的理智又健全到什麼程度呢？

院裡的職員已在門口迎接我們了，我們又分成數小組，帶領我們這組的姓李，我們叫他李管理員。李管理員親切而和藹，他很年輕，架著近視眼鏡，彷彿是一個剛從高中畢業出來的學生。多幻想的我，又在猜測了。我想李管理員也許是一個像我一樣好奇的青年，他選擇這份職業，被派到這隱藏在北郊外的地方來工作，而工作的對象，又是管理一群喪失理智的人，一定有他自己的道理，他是爲探求些什麼而來的，也許他要寫一部以瘋子爲主題的小說，蒐集材料來了！

分組完成以後，李管理員就對我們這組的十幾個人說：

「好，我們各組分別行動吧！諸位隨我來。」

好了，我們要一起去看瘋子了！

這處古蹟原是個祭壇，所以雖然有廣大的地方，並沒有什麼建築，有些地方是白石板路，石隙裡長出了小野草，有些地方是一片草地，或是一片樹木。走了幾段路，我們還沒有到關瘋子的地方呢。李管理員說，這裡的瘋子是男女分開的，兩處有一段遙遠的距離。我們這組先去看女性的，所以走呀走的，也走不到女性的範圍裡。

一路上偶然見到有些工人在運送東西，除此以外，我們就在一座如小說裡所描寫的廢園裡行走著。古木參天，蟬聲拉長了牠們午後的單調的叫喚。轉過一道古老的牆壁，我們彷彿又進了另一個荒園，眼前是一片蔓草，什麼都沒有了。不，我們看見有個人影。他是一個老頭兒，穿著一身粗布褲褂，很悠閒的在走動，我們漸漸走近他，他也看見我們了，很高興的向我們點頭招呼。

再走近他，我們又發現，在他身旁不遠的草地上，原來還有幾隻小羊兒在吃草。老頭兒手裡拿一根類似手杖的棍子。他看我們從他身邊走過，很和氣的笑笑，並且嘴裡彷彿還說著：「來啦」，「好哇」這類問候的話。

我們走過去，又都回過頭去看，是看他的小羊兒。我們想，像這樣小小的羊兒，大概還不能擠出羊奶吧？因爲我們認爲老頭兒是院裡的老工人，他是在管理院裡飼養的羊兒，而這些羊兒是爲的擠羊奶給病人——也就是瘋子——所飲的營養品。

老頭兒看我們在回頭看他，他彷彿很高興，又向我們微笑點頭。無論如何，這樣空曠的地方，面對的又都是些瘋子，該夠寂寞的，所以外界一有人來，他們都會特別熱情地招呼客人，老頭兒是這樣，李管理員還不也是這樣嗎？我是這樣的想。

轉過了這片草地，忽然有人向李管理員發問：

「貴院養了多少隻羊？」

「嗯？」李管理員彷彿沒聽懂。

問的人又問了一遍，並且指指我們剛走過來的那道牆外。

「啊——」李管理員明白了，他說，「那是他自己的羊呀。」

「自己的羊？」這回是我們不懂了。

「是的，他自己的羊。」他說完就停了下來說，「劉先生是這裡的病人。」

「病人？您的是意思是——？」

「是，是的。」李管理員並沒說明是什麼，他彷彿不願意說出「瘋子」這兩個字，也許那是這裡的規矩。但是我們卻不禁驚疑的嘴裡念叨著：「是瘋子？」而且不由得停了下來，好像想再回去看看他。

「這麼一位和藹可親的瘋子？」有人說。

李管理員見我們對老頭兒發生興趣，便微笑地對我們說：

「諸位也許知道，劉老先生的兒子就是著名的內科劉大夫，在東城八面槽開業的。」

「啊，他是劉大夫的父親？」

劉大夫的大名我也聽過，他是留德醫生，而且劉大夫的太太好像也是一位婦科醫生。

「是的，」李管理員說，「老先生住在我們院裡有三年了。」

「看起來他是很好的樣子。」

「早就好了。」

「那麼他爲什麼還不出院？」

李管理員笑了笑，低下頭來在想怎麼答覆這個問題吧！他終於說了：「也許這裡能使他得到更安心的生活。」

「那麼他是怎麼瘋的呢？瘋了多久呢？」

我們這時都圍著李管理員，站在白石板地上談著，好像這件事不問清楚，是不打算前進似的。

「他瘋得很單純，」李管理員向我們講述，「劉老先生是一直在農村生活的，可以說，他是個十足的鄉下人。他的兒子留學歸來，夫婦在北平開業行醫，情形很好，當然就想到把老父接來北平過好日子。因爲他在鄉下已經沒有親人了，你們可以想像，醫生的家庭總是極高尚的。」

這時有人打岔說：「當然不錯，我去看過病，劉大夫不但醫道好，氣質也高，他們的經濟環境是相當好的。孩子們都念教會學校，雖然很洋派兒，但是看起來那是一個融洽的家庭，怎麼會有一個瘋爸爸呢？」

「而且，他就是因爲這些才瘋的。想不到吧？」李管理員說。「他過了一生的農村生活，到老來忽然要他改變一種生活，他就不能忍受了。」

「但是正是兒子的孝心才接他出來的呀！」

「可是他失去了農村生活，就等於失去一切了。光滑的洗澡間，不能代替他一生在後園裡的打上打下的那口井。他不要耀眼的電燈，因爲他老早就睡了。他看那頭老驢慢慢地推磨，比看街上的汽車更習慣。」

「這麼一說，他得的是懷鄉病了？爲什麼不把他送回古老的農村，去度那餘年呢？」

「孝順的兒子，怎麼能把一個孤單的瘋爸爸送回家鄉呢？他在這裡住不是很好嗎？」

「他完全好了嗎？」

「可以說是差不多完全好了。」

「怎麼治好的呢？」

「恢復他以前的生活。」李管理員聳聳肩說。

「恢復他以前的生活？」我們不知怎麼個恢復法，他並沒有被送回家鄉啊！

「所以，他飼養了幾隻羊啊！他領著一群動物，沐浴在大自然之下，看著羊兒吃草，他就安心了，雖然他兒子家是精緻的洋房，孫兒的洋書念得很棒，但並不能代替他的幾隻羊。」

「既然好了，他的兒子可以把他接回去了。」

「他不要回去。」

「他寧可放羊？」

「正是這樣。」

「這眞是一個不會享福的老頭兒！」聽了李管理員的話有人感歎了。

「我們應當說，他很會享福，福是什麼？平安即是福。諸位剛才所見到的，不是一位安靜祥和的老頭兒嗎？」

的確不錯，老頭兒有一把白鬍子了，笑容從他那帶鬍鬚的嘴角上透露出來，是多麼地自然而安詳啊！但不知他瘋得最厲害的時候，到了什麼程度？有人又以這個問題去問李管理員。

這時我們走到一處地方，看見一排房子，忽然聽見有澎澎的聲音從這排房子裡發出來。

「瘋得最厲害的時候嘛，」李管理員邊說著，邊帶領我們到房子前面來。啊，房裡有人，澎澎的聲音之外，又加上尖銳的叫聲。「那，就像這。」

我們了解了，這是關閉惡性瘋子的地方，門鎖上的，還有一些安全的設備。他們被分別關在各個房間裡。而那位安詳的劉老先生，就曾這樣被鎖在裡面過，當然也曾在這裡又打又鬧的。

李管理員告訴我們說，冷水浴是使那些惡性瘋子安靜下來的方法之一。還有就是注射，可以使他們睡眠。劉老先生最初都曾被這樣治療過的。

「劉老先生的家人常來看他嗎？」

「他們常來的。」

「來了怎麼樣呢？」

「來了很好，其實他們始終也沒有不好過，剛才不是哪位先生講過，他的兒孫都是非常高尚的嗎？他的兒子或媳婦來了，並不說接他回去的話，也不用給他送什麼貴重的東西，祇要把住院治療費送給醫院就好了。」

「難道他將來就這樣永遠待在瘋人院裡放羊啦？」

李管理員笑笑沒有回答，誰能回答「將來」和「永遠」的問題呢？

我們從關閉惡性瘋子的這部分張望進去，她們有的在沉睡，有的在大打大鬧。我們不能進入裡面，也不敢進去，那景象準是怪怕人的，聽聽就夠了，怎麼敢去接觸她們呢？

想一想，安詳放羊的劉老頭兒，就曾經像她們一樣的情形，我眞是佩服醫學的進步，在我們的記憶中，當沒有醫學治療的時候，瘋子不是任他在街上亂跑一輩子，就是被家人鎖在一間特殊的房間裡一輩子嗎？好像很少聽說有幾個瘋子是不治而癒的。

李管理員給我們講解了一些惡性瘋子治療的過程，所謂惡性，也就是我們一般人所謂的「武瘋」。他們是會動手打人或者是摔毀東西，在外人看起來比較可怕，但實際上卻也不一定是最難治療的。

從這兒再向裡面走，是到另一部分去，這部分人數很多，她們是輕微的，不必關閉，或是已經治療有進步的。

這時天不太熱了，是夕陽西下的時分。當我們轉進一個大院落的時候，一下子就看見許多女人在院子裡，我們止步不敢向前了，李管理員向我們微笑說：

「走過去，不要緊，她們不會傷害人的。」

那麼，我們就直盯著那些女人向她們走近了。雖然說她們不會傷害人，但是我們也還是保持著一種隨時向後跑的準備，彷彿她們之中的哪一個會不意地向你抓一把似的。

她們待在院子裡，有坐的，有站的，有散步的，還有在聊天兒的。遠遠看起來，那副景象並不怕人，那麼我們爲什麼不敢走近她們呢？她們都是輕微的病人，也許我們還可以跟她們談談呢！

好像她們並不太注意我們這十幾個人的來臨，雖然我們走近她們了，但是她們視若無睹，似乎沒有什麼感覺。有一個待在院角的女人，是我們第一個接觸到的，她竟向我們微笑不語，神情雖然不同常人，但是卻使我們很安心，可見她對陌生的人並不敵視，瘋子不都是對這世界有所敵視嗎？這就是她已經好起來的證明吧！

再向裡走，我們已經進入她們的群中了，所以在我的前後左右都是她們的人。但是我也無所懼了，我竟停站在那裡，我不想走馬觀花似的，祇從她們身邊擦身而過，我很想使我的眼睛、耳朵，多停留在她們中間一會兒。

首先，我的眼睛就落在兩個女人身上，她們倆在比手畫腳地交談，似乎談得很融洽。她們在談什麼呢？我的好奇心引致我向前走了幾步，挨近她們。等我再度停下來的時候，忽然想，不妥當！如果想偷聽她們交談的內容，我就得直楞楞地站在她們身旁，那樣她們會停止交談的。於是我從皮包裡掏出來那本一進門就分給參觀者的小冊子。我翻來翻去，表示我在注意的是我手中的東西，而不是她們，我衹是偶然站在這裡罷了。

這兩位瘋子，並不理會我的來臨，仍然在相對著比手畫腳地說。她們倆，一個梳著一條大辮子，一個短髮齊耳，是兩種類型的人物，也就是說，一個像是小住家的大姑娘，一個像是高中女學生，衹是她們的年齡差不了多少。

梳辮子的大姑娘說：

「……早知道你到底來了，我就跟了你去了……」

短髮少女說：

「……這不是很簡單麼？走了就算了。」

初初聽來她們所談的像是一件事情，我再仔細聽她們對話下去：

「你別走，還有五天，不，六天了。……」

「我把它夾在一本書裡，你翻翻。……」

「是大嫂子叫你走的，我早就知道！……」

「任何時候，任何地方……」

「早就知道你來了，別走，別走呀！……」

「就在那本書裡，你翻翻，再往下翻翻……」

聽來聽去，我才發現，我沒聽出頭緒，原來兩個人雖然是對談的姿勢，但是各有各的對象，所談的內容是各不相干的！辮子姑娘忽然笑說：

「放個屁給你吃！」然後還用手摀著嘴，斜睨著短髮少女，害羞的樣子。而短髮少女並沒理會對方說了什麼話，有的是什麼表情，她卻一直無表情地說著：

「你再翻下去，翻下去，翻下……」

如果那是兩個正常人的說話和表情，就會引起我的大笑了，但是這時你卻哭笑不得。

我不由得抬眼向其他的人望去，發現對談的人並不少，還有的是三個人在一起談的。我相信，如果我走到其他那些人身旁去聽，一定也是一樣的，所答非所問。但是我看這些人雖然自說自話，卻是很悠閒和輕鬆的樣子。想一想，如果處在我們有理智的人群裡，她們的談話就要受約束了，誰會像她們現在的對方一樣，肯於傾聽並且交談呢？這樣看來，她們生活在這裡，也許比回到所謂正常的人群和社會裡去，不見得更不適宜吧！而且，什麼算是正常的？她們現在所說的，也正就是她們心裡所想的。而我們是不是也曾想說一些像她們所說的話，可是壓抑著不說出來呢？她們不再受壓抑了，反被認爲是瘋子。瘋子，眞是奇妙的人類哩！

我邊想著，邊走出了她們的群中，因爲同行的人早已經跟著李管理員到後面去了。

後面一些房屋都是她們住的地方，屋裡大部分是空的，因爲她們都在院子裡「散心」。但是仍有一些還在屋裡的，我們從門口張望進去，有的面對著牆在睡覺，有的坐在床上發呆，看見我們並不招呼。我感覺所有在這裡的人，對於我們的來臨，都是視若無睹的樣子，既不驚也不奇。

她們的宿舍，倒是整理得非常清潔，屋內的設備很簡單，幾乎除了睡床之外，就沒有別的東西了。

李管理員熱心地給我們一一講解，祇要我們發出問題來。我最初以爲他所以到老遠的這特殊的地方來工作，一定是爲了像我一樣的好奇，也許他是一位從事寫作的人，想來蒐集材料，並且眞正地體驗和觀察這種生活。但是現在我改變了我最初的想法，我現在想，他是有一種宗教般的熱誠，願意爲這些被「正常」社會所拋棄的「不正常」的人來服務的。

女子部分，就這樣看得差不多了，我隨著大家向外走，幾乎是走在最後的，忽然，有人在叫：

「喂！三姑！」

我們走在後面的幾個參觀者，不由得停住腳回過頭去看，是有一位女太太向我們揚手打招呼。我們不得不停下了，因爲她那樣子確是向著我們的。

這位少婦笑容可掬地走向我們。我們幾個不由得互相望了望，想知道是誰認識她，但是我們疑惑的互望了一下，無疑的，似乎我們這幾個人中，並沒有人認識她。也許她所呼喚的是已經走到前面去的參觀者，於是我就向前面張望著，想怎樣叫住前面的人，但是我又不知道誰是她所謂的「三姑」。

正在這時候，我的肩頭忽然被拍了一下，我轉回過頭來一看，喲！正是這位笑容可掬的少婦！我這一嚇，魂都要飛了，她是個瘋子啊！我「呀」了一聲，不知所措。

「三姑，您這就走啦？」

三姑竟是我！我能不承認嗎？於是我苦笑著說：

「是……的，我要走了！」

「孩子們好吧？」

「好，挺好。」我這樣答覆了以後，忽然又有所悟，我又加上一句：「你放心好了！」

她聽了以後，笑得更溫柔了。她忽然又拉著我的手，用力地揑著，從她的臉上看並沒有表現她的用力，眞像是一隻鬼手，衹要輕輕一揑，就是緊緊的。我有點恐懼，但又不敢縮回我的手，衹好任她緊揑著。她說：

「三姑，孩子全仗您啦！上學讓他們多穿著點兒，說話就秋涼啦！」

「噯，您放心好了。」我衹好又叫她放心。

這時同行的幾個看我們倆在閒話家常，以爲我們還要說下去，她們竟要離開我，去趕上前面的隊伍，我急了，哀求說：

「你們等等我行不行？」

少婦總算放開了我的汗手，我如釋重負，連忙向她點頭微笑說：

「再見，我走了。」

說著，我就向前走，她也點點頭，眞像是送三姑奶奶回家，左囑咐右囑咐的，她又說：

「慢走啊！」

我再回頭向她點點頭。當我向前走了幾步，又聽她在背後輕喊著：

「別忘了孩子上學可得吃飽了去呀！讓他們甭惦記我，就說我在這兒挺好！挺好。」

我再度回過頭去，向她微笑點頭，表示我的答允，她對我是多麼地盼切啊！轉過牆外時，我不由得按住我的心口向同行的人說：

「嚇死我了！」

「怎麼？」大家都不懂。

「我並不認識她。」

大家向我驚疑的看著：

「我們眞以爲你就是三姑哪！」

「也許我很像她家的三姑奶奶，而且我想三姑奶奶是她所信任的人。我很高興，事實上，我也是一個可信任的人。」

我解嘲地講講笑話，以解除我方才受的一些驚嚇。

「那麼，三姑奶奶，咱們趕緊吧，要找不到李管理員他們了。」

她們竟拿我開起玩笑來了。

我們在圍牆外和大隊的人會合了，原來另一組的人也來到這裡，大家就在這兒交談所見所感，等待零星落後的人趕來集合。

我們來到以後，我和三姑的故事，馬上被同件講給李管理員以及大家聽了。李管理員聽後想了想說：

「噢，我知道了，那位是鄧太太。她所指的孩子，就是她的孩子。」

「她懂得關心她的孩子嗎？」有人問。

「當然，大部分女病人，雖然神志不清楚，但是疼愛孩子，卻是與生俱來的女人的天性。有沒有看見一個帶孩子同住的女病人？」

參觀者大都沒有看見。李管理員便告訴我們，大概我們參觀的時候，她正帶著孩子在睡覺。這位女瘋子在授乳時期忽然瘋了，被家人送到這裡來，本來不許可帶孩子的，但是經過醫生的檢查和治療一段時期後，發現她雖喪失理智，但是有特別強烈的母愛，試著把孩子帶在一起，她的病就好得多。於是經過特別許可，她是可以帶孩子的。

「那麼孩子不會被那些別的瘋子嚇著嗎？同時，這難道不影響孩子的身心？」

「她的孩子還很小很小，衹有五、六個月的光景，同時她離出院已經不遠了，還不至於影響什麼。」

「那麼那位鄧太太呢？我看她也是很清楚的樣子——，除了把我認做三姑。」

我這麼一說，大家都笑了。李管理員說：

「鄧太太的情形又不同些，她是一個北方舊家庭的媳婦，上有公婆，下有大姑子，小姑子，她就是由於太受舊家庭的壓制，所以精神崩潰了。她的丈夫處在這大家庭裡也沒有辦法，甚至要求把他的妻子留在院裡一段較長的時期，因爲他說，她如果再回到這個家庭來，家人仍然不改變對她的態度，她會再度發瘋的。好在她的孩子倒受了大家庭的好處，有的是人照顧。鄧太太剛才叫您三姑，那位三姑就是鄧家最厲害的一位姑子哪！」

李管理員說得大家都向著我笑了。想一想，可不是，她剛才對「三姑」的態度幾乎是諂媚的哀求，而當她用力捏著「三姑」的手時，她心中或許是恨吧？在上一代的北方的舊家庭裡，是有多少這樣被壓抑的女性啊！

現在，我們這兩隊又要分別到不同的方向繼續參觀了。另一組中，有兩個我的同學，她們把我拖過去，要我參加她們的一組，這樣換組好在也沒什麼關係，我便改隨著王股長帶領的這一組了。我們繼續參觀的是飯廳、工作室。這裡對於孤苦的瘋病人，也教她們一些技藝，有時院裡的工作，也由輕病人來做。

參觀的時候，我們遇見了一位穿著白外套的女職員。看見她，我心裡驚叫了一聲，啊？我認識的！不，我衹是知道她，她不也是個瘋子嗎？不不，絕不是，一定是我認錯了人了！

可是她的側面曾給我一個很深刻的印象，她不過是一個很普通的面型，卻有一個特別美的側面，而且在左頰上有一小塊指甲大的棕色的痣，那麼不是她又是誰呢？我忘記她的名字，衹記得人家背後叫她「大象」，是因爲她姓項，個子不高，是大學畢業生，原來是在教書。

她現在穿著白外套，好像是屬於衛生方面的職員，眞是奇怪，我心裡納悶這是怎麼一回事。她並沒有向我們招呼，因爲她也像是到這部分來辦事的，並不負責招待我們，所以當她和我們這群人擦身而過的時候，衹是以和藹的眼光向我們表示招呼的意思。

好奇心驅使著我一直都回頭看著她，直到她的身影消失在門邊。

等到她走過去一會兒以後，我聽見我們這群人裡竟也有人在輕輕的說：「咦，她不是項嗎？」我便走過去和那位也認識她的參觀者說：

「您也認識她嗎？我也認識她的，但是我又不敢確認。」

「是的，我想起來了，我是聽說她在這裡。」

「您的意思是說，聽說她在這裡做事嗎？」

「不是，不是，是說她被送到這裡養病。」

「是嘛！這是怎麼回事呢？」

「我聽說她在這裡，是——讓我想一想，」這位先生認眞地在想，「有兩年嘍！」

「兩年啦？」我覺得很驚奇，日子眞的過得這麼快嗎？我記得她那副樣子——在她正常的時候，我並不知道她，我看見她時，她已經不成樣子了！

在印象中，是有一次我到平安電影院看電影，這家位於東長安街的電影院並不頂大，但是外國人都喜歡到這裡看電影。到了假日，高大的義大利水兵偕著中國某一類的女人遊蕩在東單王府井一帶，而某一天大大項便出現在一個義大利水兵的臂彎裡！是在散場時，我看見她的，我的同伴認識她，但是看見她這樣就不敢向她打招呼，衹是偷偷地對我說：

「看見嗎？怎麼會這樣啦！」

我不明所以，便問我的同伴：「她是誰？」

「我們同校不同系畢業的。怪不得，我聽說她最近因爲失戀，精神不正常了，沒想到不正常到這種地步！」

她陪著那義大利水兵，穿著不但不漂亮，而且顯得有些邋遢相，固然那些陪伴義大利水兵的女性並不高明，但是也沒有像這樣類型的，她們都是打扮得很妖豔的。所以她這時的樣子，反而被人所注目了。

過後，我又漸漸知道她失戀的故事，其實那是很簡單的，她不過是被一個男人遺棄就是了。那男的也是個大學生，兩人好得已經論嫁娶了，甚至於他們倆已經有了超友誼關係了，結果她竟忽然被遺棄，於是精神病就發作了。

以後，我在許多地方曾看見她，我也聽到更多關於她發瘋以後的情形。

我記得有一次是冬天，在青年會溜冰場溜冰後，便到青年會的浴室去洗澡。忽然聽到有一間浴室裡發出唱歌的聲音，我心想是什麼人這麼放肆？一個女性怎麼好在公共的浴室裡這麼唱歌呢？等到我洗好出來了，那歌聲還沒斷，而且還是越唱越高興。我想這一定不是一個平凡的女人了。果然在外間存衣室裡的那位女管理員，皺著眉頭，向我們無可奈何的苦笑，並且指著牆上掛的衣服說：「你們看她穿了多少件大衣！」

「是誰？」

「大項嘛！」

牆上掛了兩件大衣，一件是春季夾大衣，一件是冬季駝毛大衣，另外還有毛衣等等。這就是說，她對於衣著的處理能力都失去了。正在這時，她忽然在裡面叫女管理員進去一下。那位女管理員是個脾氣很好的北京姑娘，按說她不可以隨便在浴室裡叫女管理員的，人家沒有義務聽你支使，但是她還是答應她進去了。這時浴室裡聽不見歌聲了，衹聽見她們在裡面談話，然後大項哈哈大笑起來。

和我同去的朋友說：「你看她倒過得挺開心，又唱又笑的！」

女管理員出來對我們說，原來大項指著身上的傷痕給她看。

「什麼傷痕？」大家悄聲地問。

「讓人打的，身上、腿上一條一條青的紅的。」

「什麼人可以這樣打她？」我們不禁同情她，懷疑而憤慨地問。

「她說是在天津讓治安機關關起來打的，逼她口供。」

「什麼口供？」

「咱們也說不清。」大姑娘回答我們。

「可是她還笑哪？是怎麼回事？」

「是呀！她說，他們問我這是誰寫的？我說人家給我親筆簽名的呀！人家不信，我就跳舞給人家看。她這麼說著就笑了！」

我們也衹好搖頭歎氣，對於一個我們所不認識的瘋子，我們除了看熱鬧、同情以外，也沒有辦法了。

等一下她終於洗好出來了，她看我們在注視她，並不在乎，她把掛在牆上的衣服一件件地穿上去，她比夏天我在平安電影院看見她時，更不像樣了，儘管她有一個美麗的側面，可是一個人瘋成這樣，怎麼是個人了呢？

後來我才聽說，原來她有一次自己坐火車到天津去，拿了一本紀念冊，到處讓人簽名。有人知道她是瘋子捉弄她，便在她的紀念冊上胡亂簽名，竟害了她。因爲後來治安機關把她捉了去，問她是誰簽的，她並不否認，就說是簽名的人親筆簽的，而那些名字足以使她吃苦頭，所以她被大打一頓。人家不知道她是瘋子，直到她挨了苦打，卻脫下衣服，裸體跳舞給人看，人家才知道她的精神不正常，也明瞭那簽名一定是惡作劇的人幹的，這才把她放了。她回到北平來，逢人便把傷痕示人，並且得意地說：「我給他們跳舞唱歌，他們就把我放了！」

我不知道她已經瘋了多久，但是就我自己所知道的時間，已經有半年了，從夏天在平安電影院到這冬天。我很奇怪，她是個大學畢業生，又曾爲人師表，應當家庭是不錯的，怎麼她的家人不管她，就任她各地方亂跑，鬧這麼多可悲可笑的事情給人看熱鬧呢？

現在，一晃兩年了，她竟穿著潔白整齊像醫生一樣的白外套，在這裡工作了！當然我們可以想像，她是已經好了，並且因爲她的大學資歷和能力，她可能是在這裡管事的，王股長和李管理員不是都曾告訴我們，輕微的病人，可能工作的，也分配一點事情給她們做嗎？

我跟著大隊的參觀者，一邊走一邊想著大項的這些經過，我們在走出工作室這部分時，王股長又停下來了，因為他正在不斷解釋、說明一些事情，並且答覆參觀者的詢問。我們都圍著他。忽然有人向他發問了：

「王股長，我們剛才看見一位女職員，就是那位穿著醫生白外套的……」

「噢，那是我們婦女部分的工作人員。」王股長祇這樣簡單地答覆我們。

「我們知道，我看她面熟，她貴姓是？……」

「她姓項，項先生。」

「她就是大項！王股長，我知道一些關於她的事情，這裡面也還有幾位認識她的……」詢問的參觀者說著便在人群裡看了看我，表示給王股長知道，我們既是認識她，當然也就會知道她曾經是瘋子的事實，雖然在禮貌上未便明說，當然也還是希望王股長能告訴我們關於她的事了。

但是王股長很愼重，他很客氣地問：「噢，怎麼認識她的呢？我剛才應當把她介紹給大家，她是一位工作能力很強，表現優良的工作人員。」

「我們認識她，是在她失去工作能力的時候。」答話的人也頗重技巧呢！

這麼一說，王股長當然就明白我們知道她曾是瘋子了，所以他又說：

「她現在已經完全好了。」

「看她完全好了，我們也高興，但是她所受的失戀的刺激，如果想得開的人，實在也算不得什麼，爲什麼對於她就這麼嚴重呢？誰沒失過戀！」

最後的一句話，引得大家都笑了，有人不禁向這位男士開玩笑說：

「難道你有經驗？」

「我有經驗，我有的是失戀的經驗，還不止一次，可沒有發瘋的經驗呀！」

「大概就是因爲你失戀成了家常便飯了，所以發不了瘋！」王股長也向他開玩笑，停一下，王股長似乎在猶豫，但他終於又說：「我們很高興，項女士已結婚了，她找到一位眞正愛她的男人。」

「眞的？」大家不禁異口同聲的喊。一個人的遭遇眞是難講，居然有人去和曾經瘋得這麼厲害的女人結婚！所以有人便問了：

「她的丈夫知道她的經過嗎？」

「當然知道，並且……」王股長吞了一下口水，沒說完。

「那豈不是要有殉道者精神的男人，才有這樣的魄力去娶一個瘋子？」

「他們快樂嗎？」

「他們結婚多久了？」

「他們怎麼認識的？」

大家你一言、我一語地向王股長發問，王股長終於回答我們說：

「在我們想像中這樣的婚姻，對於一個男人，也許是太冒險了，一個大男人還怕娶不著媳婦？必得娶個瘋子，是不是？但是，我可以告訴大家，她的丈夫和她是由戀愛而成的婚姻，像你我一樣的正常的戀愛，似乎沒有感覺到他是有什麼殉道者的精神。總之，他們是很自然地進行的。而且，他的丈夫是眼看著她接受治療，以至痊癒的整個過程的。」

「啊！簡直不能想像！」我們聽王股長這麼說，都不禁驚歎著。這時又有人發問：

「她的丈夫怎麼可能眼看著她治好的過程呢？難道是她以前認識的？」

「不，」王股長說，「他們以前並不認識。嗯——我再坦白告訴大家吧，她的丈夫祇有小學畢業的資格。」

「啊！一個大學畢業的女瘋子，嫁給一個小學畢業的男人！不但不能想像，也不可思議！」有人這樣驚喊著，但是別人都用食指按嘴輕輕地噓他，表示不要表現得這麼過分，那也許會被人當做沒有禮貌了。其實每個參觀者的心裡，也都在驚喊著呢！好像這不是一件正常的事吧！我卻希望王股長以解釋、說明的態度講給我們聽，我們願意去了解它。所以我問：

「王股長，我們毋寧說，對於項女士的例子很有興趣，也願意有更多的了解，希望您多給我們講講，何況我們對於她以前的遭遇也略略知道一點。」

「好的，」王股長很風趣，也很誠懇，他說，「處在像瘋人院這樣的環境裡，我們和你們不同的地方，就是我們是見怪不怪，如果我們不以常人對待我們的病人，整天拿他們的瘋魔當熱鬧看，那瘋人院就別辦了。所以對於他們的戀愛和結婚，在我們看來，是極普通的事。剛才有朋友問我：她的丈夫怎麼可能眼看她治好，那麼，我就對大家說吧，她的丈夫也是我們這裡的職員。」

大家又不禁彼此瞪著驚奇的眼互望著，張開嘴「啊」地說不出話來。王股長又接著說：

「也許各位又有新的問題了，既然項女士已經完全好了，那麼她以一個大學畢業女性的資格去下嫁一位小學畢業生，是否快樂？眞正的快樂？」

「是的，我正想問這個。」

「好的，我可以告訴大家，他們很快樂。無論如何，她的遭遇，所以致她於瘋的那個打擊，是一個大學畢業生的世家子弟所給予她的，那麼在經歷了這麼一個大風暴以後，她平靜下來了，一個誠實、好學的青年愛上她，他們結婚了，她和他願意終身爲喪失理智的人類服務，雖然這裡的待遇並不高，但是愛情的價值對於她來說，是更高於城裡的所謂高尙的社會。」

我們都點頭表示同意，聽王股長的這番話，各人的心裡也許有各種不同的感想吧！

我的感想是什麼？在當時可以說，是覺得很彆扭的。一個好好的男人和一個曾經瘋過，曾經被那麼多人蹧踐過的女人結婚。想到這，眞像嚥下一個蒼蠅那樣噁心咧！

我們站在這裡談了有一會兒了，這地方對於我們這些外來人，畢竟是新鮮的。問東問西的，時間過去很多了，這時天有些暗了，在地壇的空曠的院地裡，有古老高大的松林，擋住了夕陽的照射，偶然有烏鴉飛過去的叫聲，不知怎麼，更顯得這地方的不同。

我們衹來了不到三小時，但是好像離開北平城，離開我的家和學校很久遠了。尤其看了和聽了這些人和事，我的腦子裡充滿了眼前的事實，放羊的老者，叫三姑的婦人和這位大項。我差點兒要把我的家都忘了！媽媽還叫我早些回去，今天晚飯她說她要做我愛吃的菜呢！

大家的興致很高，我們現在是向著男瘋子部分走去，可是，我對於男瘋子卻懷著更恐懼的心理，因爲總感覺他們是比較野蠻和凶悍的，好像更怕走進去，我怎敢像在女瘋子群裡那樣穿來穿去呢？如果有個男瘋子在我肩頭拍一下，叫我一聲「三姑」的話，那不是更要嚇壞我了嗎？除非他們一個個能像放羊的老頭兒那樣安詳、和藹，但是他們能嗎？

所以我放慢了腳步，落在人群的後面，我寧願多流連一下這廣大的地壇，看石隙中野草叢生，想著古皇帝是怎樣地在這裡拜祭大自然，感謝大地的賜予，感謝他的子民的平安！啊！我腳下踏過的大石板路，豈不是許多朝代的皇帝走過的？他們可能想到千百年後，這裡沒有人感謝大地了，反而是住著不能容於大地的一群人類呢！

這時已經到了男瘋子部分，男性參觀者都進去了，沒想到幾位女性參觀者也和我一樣，是猶豫著不肯進去。王股長很好，他知道我們的心情，便也不勉強，而且還留在門外陪我們，好在還有別的職員帶領那些男參觀者。

王股長看我們在觀賞風景，便和我們閒說了一些這裡的古蹟，然後他又忽然向我說：

「剛才是說你也認識項女士嗎？」

「衹是知道她。」我回答。

「你剛才是在李管理員帶領的那一組嗎？」

「是的，後來這組我的同學拉我過來的。」

「李管理員你覺得怎麼樣？」他忽然冒出這麼一句話。我不明白他的意思，也衹好回答：

「很好嘛，爲我們講解，跟您一樣使我們知道許多事情。」

他「嗯」了一下，微笑著又問我：「如果，我告訴你，李管理員就是項女士的丈夫，你覺得奇怪嗎？」

沒等他說完，我就又瞪起驚奇的眼光了：「眞的！」我的聲音可以說是「悄悄的大聲」。

是的，如果他們夫婦倆這時走在北平城裡的大街上，誰又能不說他們是相配的一對呢！

此外，王股長便沒再跟我多談到李管理員和大項的事了，我也覺得應當適可而止，既然他們都是瘋人院裡的工作人員，大項不過是一個例子，我們不能一直拿這個例子當做話題談個沒完，雖然我還很想知道他們結婚多久了？她來這裡治療多久才好起來的？他們有沒有小孩子？他們也進城去玩玩嗎？這一類的問題。但是我什麼也沒問，王股長就被人叫進去了。
而這時，李管理員所帶領的這一組也已到來，大家現在又會合在一起了。我這時不由得多注意李管理員幾眼。無論如何，他不像是祇有小學程度的人，他的談吐、他的儀表，確是配得起大項的。如果他們以在這裡居住和服務，為他們工作的目標和理想，那麼，大學不大學又有什麼重要呢！如果他們一天到晚有忙不過來的工作要做，城裡的戲院子、電影院、東安市場，對於他們又有什麼重要呢！
這時到男子部去的參觀者陸續出來了，想必裡面又發現了什麼人生故事，有人正在說：
「我認識他。現在看起來確是好多了，還跟我說不願意回家，就願意在這兒多住些日子哪！難道要在瘋人院住一輩子！」
「唉，這一群失去人生樂趣的人！」有人感歎的說。
「失樂園呀！」又有人脫口而道出米爾頓的這部史詩，以響應大家的感歎。
米爾頓寫《失樂園》，雖然是敘述人被趕出樂園的故事，但是亞當和夏娃是帶了將來可以復歸樂園的希望而離開的呢！難怪王股長在一旁聽見了，笑著說：
「我倒寧願說我們地壇是樂園，並不是失樂園呢！」
大家在笑聲中向地壇樂園告別了，感謝幾位負責人員熱心的帶領參觀，使我們在短短的一個下午得到這麼多。

黃昏離開地壇，車子駛向北平城裡，回到我們的社會來，我們的家庭來。晚飯早已擺在桌上了。媽做了兩樣我愛吃的菜，大蔥爆羊肉、芝麻醬拌菠菜梗，可是，我沒了胃口！我一回家就先洗澡，洗去一身的灰塵和疲勞，可是我總覺得我沒洗乾淨，彷彿從地壇帶來了什麼洗不掉的東西。家人要我講述所見所聞，我講是講了，飯可吃不下了，兩條胳膊也老覺得肉麻。眞有點神經過敏啦！

此後兩三天，我都不太吃得下飯，祇要閒著，腦子裡就搖晃出地壇的景象來。

這麼許多年過去了，地壇的景色、當時的同行者，差不多都記不起來了，但是祇要我想到這件事，想到我曾經有一年去參觀地壇瘋人院，我的眼前就不由得浮起了——荒草園裡放羊的老頭兒安詳可親的面容；充滿了母愛的關切的鄧太太，和那一聲「三姑」使我驀然的回頭；飄然而逝的白色的身影，和她微笑的凝視……

而且，和他們的面容一齊浮向我的腦際的是王股長的話：「我寧願說我們的地壇是樂園呢！」

從那以後，我長了那麼多年歲了，我也仍不能確切的說出人生怎樣才是眞正的快樂，或者，我們是否眞正的快樂過。

五十一年八月二十六日

海淀姑娘順子

汕頭人柯先生在北平王府井大街開了一家花邊公司，專賣各種手工縫繡的家庭和婦女用品，像床單、枕套、桌巾、椅墊、窗簾紗、手絹、睡衣等等。用中國的材料、中國的手工，製出現代生活用品，外國人說它是中國味兒，中國人說它是洋味兒。因此吸引了中外人士來買，這全仗了主人柯先生會動腦筋做生意。

王府井大街是北平出名的大街，我常常經過這裡，三間門臉兒的花邊公司，中間是大門，兩邊是寬大的玻璃櫥窗，擺著各種成品，無一不令我喜愛。就像山東繭綢的晨衣吧，前後身都繡著大團龍的花紋。繭綢是野蠶絲織成的綢子，未經漂染，保持著淺黃的本色，織紋也不是像別的綢料那樣細致，所以它特別有一種天然純樸的味道。上面所繡的團龍有紅、藍、綠、白各色。它是爲夏季穿的，又輕、又薄、又涼快。

成套的桌巾，也是可愛的東西，雪白的夏布上，配上極鮮明的各色繡線，用十字繡線繡上花卉或風景，漂亮極了！花卉是洋味兒的，比如成簇的鬱金香啦，康乃馨啦，蒲公英啦，風景呢！就是中國味兒的了，光是北平的風景就繡不完了，萬壽山、玉泉山、白塔什麼的。夏布的好處是耐洗不會鬆軟，更不會像棉織品那樣起毛。它是又平整，又骨力。

有一天，我終於忍不住，走進了花邊公司，並沒有要買什麼的目的，祇想挑一兩樣小巧東西。

在玻璃櫃裡，我發現一些可愛的小手絹，它是用兩色細紗縫合成的，有一邊繡上大寫的英文字母，一看就知道是爲顧客選英文姓名用的。我就選了兩條有L的姓的字首的。價錢並不貴，眞出乎我的意外，我後悔曾徘徊在櫥窗前那麼多次，都沒敢進來。我好喜歡這兩條手絹，簡直捨不得拿它擦油嘴或者挖鼻子用。

有了開頭，以後我就常常去照顧它了。有了錢，就去買條手絹或繡花首飾盒什麼的，是以一種欣賞藝術品的心情去買的。碰到有女同學或女朋友的生日、結婚，也總是想到花邊公司買點兒什麼做禮物。

在這種情形下，我終於和主人柯先生夫婦認識了。瘦瘦的先生，高顴骨，戴著眼鏡；胖胖的太太，矮個子，坐在櫃檯裡管賬。

柯先生聽說我是在做著記者這門行業，不敢怠慢，每次我去，他都過來熱心的招呼我，和我談這談那，十分殷勤。我嘛，又是記者本色，總要問東問西，他都一一回答和解說。大概他看準了我早晚有一天會給他寫點兒什麼上上報吧！

花邊公司的生意，並不是單靠王府井這門市賣的，他們主要的還是外銷。柯先生說，中國人的家庭生活水準，在穿著和壁室方面，是比不上歐美人士講究的，而花邊公司的出品，正是屬於這兩方面的，所以，他們一定要動洋鬼子的腦筋，看什麼能迎合外國人的，就做什麼，這是很重要的。我聽了就捧捧柯先生，我說：

「我常常覺得中國人裡的廣東人和山東人，是最最會做生意的了；廣東人會動新腦筋，山東人保持老作風。無論如何，你們有一個共同的優點，就是勤勉。生活，什麼比得了勤勉更重要呢！」

柯先生聽了很開心，不住的聳動著他那牌樓般的方肩膀，直笑著，直點頭。

柯先生已經知道我是跑婦女及教育新聞的記者，他開始向這方面進攻了，他說：

「林小姐，爲什麼不去看看我們在海淀的工廠呢？那裡全部是女性。你可以觀看她們工作的情形，我們管理的方法，訪問訪問她們也好呀！」

起先，我有點兒不高興去。我心想，你倒會打算盤，你這不過是私人的生意，我去訪問了登在報上，不是等於給你們做了不花錢的廣告嗎？而且，我們報館的老闆，打的算盤祇有比你精，沒錢的廣告，他才不登呢！

但最後我還是答應了。北平不是工業城，又是個保守的地方，許多女工在一塊兒工作的情形，不知是個什麼情景，我既是女記者，就應該去看看，而且，還可以藉此出城走走。

海淀在北平西直門外約一、二里的地方，我一年總要經過幾次。春天到萬壽山、八大處去旅行，偶然到燕大、清華去找朋友，秋天到西山看紅葉，都要經過海淀，但很少停在海淀。有時也會停下來的，為的是在海淀街上的店鋪裡買幾瓶「蓮花白」，一種性質比白乾兒淡些的酒。我很喜歡喝酒，但祇有半小杯的量，還鬧著要喝像蓮花白這樣的酒。它喝起來是辛辣中帶著甘甜的味道，香噴噴的。所以到了海淀，別的不知道，就知道帶兩瓶蓮花白回來。

出了西直門，到了海淀，柯先生的婦女工廠很快的就到了。它是在一條胡同裡，高台階、小黑門，好像是住家的樣子。但是到了裡面，才看出它並不像一般的四合院或三合院。前面是一條橫長的院子，有一排前後玻璃窗的房子，所以房裡很敞亮。房後又是一個很寬敞的院子，院裡有兩棵大槐樹。

這時是盛夏了，濃蔭下許多婦女坐在小矮凳上，不用說，她們就是這裡的女工了。她們的年齡，從十三、四歲到四、五十歲都有。她們正靜靜的低頭做活計，沒有一點聲響。她們穿得很樸素。北方人總是這樣的，無分冬夏，家常總喜歡穿深藍、淺藍的衣服；大褂兒，或者衣裳褲子。平平整整，乾淨俐落。姑娘們有的剪了短髮，有的是梳著一條或兩條辮子。兩條辮子的，繫著黑緞帶，一條辮子的，就紮了紅頭繩的辮根，年紀大的還是梳髻。

屋子裡也是一排排的矮凳，坐滿了人。她們的工作該是不需要桌子的，而且長時間的坐著，矮凳也比較舒服。因此，膝蓋頭也就當了小桌子，各色的繡線，一綹一綹的搭在膝蓋頭上，小剪子也擱在膝蓋頭上，針呢，就別在大腿褲上。她們今天所做的活兒，大概是同一批貨，大都是在夏布上繡十字花。細細的針，在那細小細小的布絲上數著，一根、兩根、三根、四根，在第四根的布絲上扎下去。這樣一根根、一片片的數下去，扎下去。膝蓋頭兒上一綹綹的線繡完了，一塊桌巾、一幅窗簾，也就完成了。賞心悅目的手工藝品，原來都是出於海淀姑娘們的纖纖細手。

我隨著柯先生夫婦乍一進來，當然引起她們的注意，她們都不由得抬起頭來望了一眼陌生的我，隨著就又低下頭去工作了。

柯先生領著我在她們的行列中走著，我就左右兩邊的看。柯先生給我講解，時時也拿起她們的活計給我看。我這時不免又三句離不了我那好問的記者本行，我問柯先生：

「請問，她們的家大都住在什麼地方？在城裡嗎？」因爲柯先生說過，她們都是上班制的，工作從每天上午八點到下午五點，所以我才有了這問題。

「她們大都在海淀附近住家。」

「那麼，她們大都是海淀本地人嘍！」

「本地人，可以說全部是本地人啊！」然後柯先生愉快的伸手指指坐在面前的一群少女，說，「喏！都是海淀姑娘啊！」

「啊——」我隨和著笑笑，並且輕輕的念這幾個字：「海淀姑娘」，很可愛的味道。

面前的一群少女也抬頭看了我們一眼，微微的笑了。

柯先生要我隨便跟她們談話，訪問她們，他又放大了聲音對大家說：

「林小姐是報館的大記者，她要跟你們談談。」

於是姑娘們又一次抬頭看了看我。

我無非問問她們，工資怎麼個算法呀，每個月可以掙多少錢呀，做了多久啦，怎麼開始學的呀，家裡有多少人哪，這類的話。

訪問的結果，我發現這裡很多女工是母女、姊妹、姑嫂、妯娌同來的。這樣看起來，柯先生的花邊工業，對於海淀這地方的一些家庭生活，也多多少少有些補助了。但不知柯先生怎麼選定了海淀這地方做工廠的？是因爲海淀的姑娘們特別會縫縫繡繡的嗎？還是由於柯先生的眼光，才給海淀興起了這種風氣的呢？這些問題，我想可以在回城的路上問柯先生的。

訪問了這位、那位，也差不多了。我暫時停止了訪問，在小板凳的行列中漫步著，時或停下來，低頭來注視她們細巧的手藝。有點熱，她們的鼻子尖沁出了細粒的汗珠。我也是。我抬起頭來，用手絹抹一抹鼻尖的汗珠，攏攏頭髮。忽然那邊牆角的一位姑娘也抬起了頭。我們打了一個照面，她又低下頭去，我卻恍惚了。

我立刻感覺那是一個我所熟悉的面孔，但她是誰呢？

她是誰呢？圓圓的臉蛋兒、寬寬的額角、吊眼角、單眼皮，挺俏式的！

我在行列中停住了腳步，淨想著。我再向她看去，衹能見到她的前額、她的低垂的頭。頭髮是剪過的，所以我分不出她是已婚的少婦，還是未婚的大姑娘。但是那額頭對我實在不陌生，她爲什麼不再抬起頭來呢？

幼年住在椿樹上二條時，我有一群好伴侶，廂房裡的一窩小油雞。每天放學回家餵小油雞是我愛好，把小油雞餵得黃絨絨的細毛快變成羽毛時，竟在某一個夜裡被野貓全部吃掉了。我哭著、喊著、跺著腳說：「我要報仇，我要給小油雞報仇！」

因此有多麼久，我不喜歡貓這種動物。

一直到媽媽在土地廟給我買來了小黑——一條小哈巴狗，我才算恢復了又有遊伴的生活。小哈巴狗身材矮小，一身黑鬈毛，猛看不好看，玩久了很可愛。

小黑不像小油雞，牠要往大門外跑，這才引來了住在對門的順子，我們倆一塊跟小黑玩。我六歲，已經在附小一年級了，順子說她八歲，那不是三年級了嗎？所以我問她：

「你在三年級呀？」

她搖搖頭，說：「我沒有上學。」

沒上學，沒關係，我祇要有一個街坊做朋友玩，就好。我的弟弟、妹妹太小。我也不知道順子家是做什麼的，這都沒關係，祇要她來了，就是快樂。

順子雖然不認識字，但是她另有本事，她會用針啦線啦縫東西。五月節的時候，她用五彩絲絨線纏了一串小粽子給我，我掛在衣鈕上，搖來晃去的，美死了！

因此我們的遊戲趣味，又從玩小狗到做針線活兒了。我不會穿針，不會引線，祇能給她打下手。我有一個小盒子，裡面裝了一個橡皮人，順手給橡皮人縫了一條被，一個小枕頭，於是小橡皮人就常常是睡覺的姿態了。順子來了，我們就把橡皮人從被窩裡請出來，帶了小橡皮人串門兒，做客人。小橡皮人在家，不是做太太，就是做丫頭。如果小橡皮人上學去的時候，就要由我來演老師或學生，因爲順子沒上過學，她不知道老師或學生是怎麼當法。

我們常把小橡皮人騎到小黑的背上，當做小黑驢兒，上西山。順子說：

「哦喝！上西山要從我們海淀家的門口兒過啊！」

「海淀？什麼？」我不懂。

「我們是海淀的人哪！我爸爸說，皇上到西山避暑，我爺爺伺候過，所以皇上賞給我爺爺一塊地，在海淀。」

順子雖然這麼說了，我可也還是不怎麼明白。我就順著她的話尾說：

「那，小橡皮人兒，小黑驢兒，就先從海淀走吧！哦喝！」

這是我第一次聽說海淀，雖然我已經去過萬壽山兩次，應當從海淀經過過的。

但是多麼的不幸，小黑不知怎麼竟瘋了！媽媽不准我和順子再接近牠，把牠鎖在原來放小油雞的廂房裡，在那陰暗的角落裡，小黑汪汪的狂吠著，不住的轉身咬牠自己的尾巴。

有很多天，小順子和我，長時間的趴在廂房的玻璃窗外，向裡面看。又怕，又心疼。她摟著我，我摟著她，看著小黑狂吠狂跳，無可奈何。看牠口吐白沫倒在地上，終於死了。

我和順子傷心又寂寞，手拉著手，在我們的胡同裡蹓躂。就在另一家的門口，遇到了荷花兒。爲什麼這女孩子叫荷花兒，這麼一個花的名字？我不知道，但是這名字很容易記就是了。

我們交了荷花兒這個朋友，又恢復了熱鬧的生活。荷花兒跟順子一樣大，也沒上學，梳著的是一條辮子。看起來就像比順子大點兒，又因爲能出主意，我和順子都要聽她的。

我們過得很快活，放了學等她們來我們家，是我最最心花怒放的時間。我們說我們三個要永遠的好下去，不許吵架，不許不理人。於是荷花兒教我們一個友情永存的辦法；有一天我們從各人所吃的芝麻醬燒餅上取下一粒芝麻來，荷花兒帶我們到牆角下，在地上刨開了一撮土，把三粒芝麻埋了下去。然後她很正經的說：

「誰要是不跟誰好，她就把埋在土裡的芝麻挖出來好了。看她挖得出來嗎？」荷花兒說著，斜著頭，瞪著我們倆，我們倆就傻了，傻傻的點頭，照樣的做。

我們更加的親密了，一個人的事情，就是三個人的事情。所以當沒有爸爸的荷花兒說：

「我爸爸對不起我媽，他常打我媽，還帶著別的女人跑了，不愛我媽。我媽說，男人都不是好東西，教我長大了不要嫁人。」

我和順子都同情她，雖然我們不懂得做爸爸的帶了別的女人跑了，是怎麼的不好，可是看見荷花兒的母親，靠著給人搓麻繩，納鞋底子，又給人做大褂兒，就知道她們一定過得很苦，有一天，荷花兒又提起恨她爸爸恨男人的話，順子竟同情得哭了起來。荷花兒說：

「那咱們三個人約好了都不要嫁人，好不好？」

順子帶著淚點點頭，我有點猶豫。荷花兒盯住我。

「你呢？」

「我嘛——可是我爸爸很好呢！他對我媽很好。」

「我沒說你爸爸不好，我是說咱們都別嫁人，嗯？」荷花兒緊盯著我問。

「可是我媽要讓我嫁人哪！她常說，八人大轎把我送到新郎家。」

「那——」荷花兒好像放鬆了我，「你要嫁就嫁吧，可別後悔！」

我想了想，還是站在她們一邊兒好，我怎能因爲嫁人而失去她們呢，所以我終於說了：「那我也不嫁算了。」

荷花兒很高興，拉著我和順子的手說：「好，那咱們就一言爲定嘍，誰都不許嫁人！」

當埋芝麻和不嫁人的約定正鬧得很兇的時候，忽然一個意外的事情發生了——

我家要搬離開椿樹上二條了！我懷著萬分傷感的心情，告訴順子和荷花說：

「我們明天要搬家了！」

「搬家？搬到哪兒去？」

「不知道，一所更好更大的房子。」

我哪裡說得出我家要搬到哪兒去呢，而她們既不會說「把地址抄一個給我吧」，也不會說「有空來找我們玩吧」這種話，就這樣，我們三個人的一段友誼結束了。

搬到新的家以後，有很長一段時間，我都不習慣。常站在家門口，看斜對門的人家一開門，總以爲是順子就要出來了，還有那又兇、又能幹的荷花兒。等到覺出不對時，才悵然的回家來。

這一切，過去很多年了，但是，今天在海淀婦女工廠的一個角落裡，竟看見了我曾熟悉的影子，啊！那邊靠牆坐著的，不是順子嗎？不是嗎？

我站在這兒，也許很久了，呆呆的注視著我身邊的一個小女工做活。其實，我視若無睹，根本就不知道這個小姑娘在做什麼活兒，柯先生卻以爲我特別喜歡身邊這個小姑娘所做的抽紗手絹呢，所以他又特別跑過來給我講解了，他說：

「抽紗的手工也很巧。把四邊的橫絲抽去了，再由另外的高手在那直紗上縫上花樣。喏，她們——裡面靠牆角的幾個姑娘，都是高手呢。」

柯先生所指的方向，正是那熟悉的影子所坐的地方。柯先生領我過去看，我不能不隨他穿過面前的行列，走到更接近她的地方。

我為什麼不招呼她一下呢？或者問一問「咱們是不是做過街坊」這樣的話呢？可是我沒有。我是怕我的幻覺攪昏了我。相像的人多得很，而且回憶中的順子，是幼年的影像，現在這位大姑娘或少婦，怎麼就一定是順子呢？

但是我呢？我和六歲的我有沒有改變？她在抬起頭來看見我的那一刹那，也曾懷疑這位女記者似曾相識嗎？她知道什麼叫女記者嗎？北平的女記者不多，看樣子祇有一個我在出鋒頭呢！

心頭正兜起無邊的懷念童年的心情，柯先生還絮絮叨叨的給女記者講什麼，我全不能留心的筆記或傾聽了，祇瞎點頭答應著。

快中午了，走到院子來，柯先生的興致很高，也很捧我場，他對女工們說：

「來來來，大家跟林小姐照一張相留紀念吧。」

女記者光榮的被安排在最中間的一張椅子坐下來。後面站兩排，前面蹲一排，該是一張很熱鬧的照片——女記者和女工。

我回過頭來掃視一遍站立的女工，可沒有找到那個懷疑中的順子。

等到離開工廠的時候，我在人群中也還是沒有再見到她。離開那兒，悵然的，也有點後悔。

在回程的車上，柯先生很高興的對我說：

「林小姐，我看，在這些手工裡，你最喜歡抽紗的手絹。」

「你怎麼知道？」其實我何嘗特別喜歡它，祇是隨口這樣反問一聲就是了。

「因爲我注意到你在抽紗手絹的那一群中，徘徊得最久，也特別細心的觀察她們，是不是？」

我笑了笑，「是的，因爲我覺得做抽紗的，該是這裡最細巧的手工了，是不是？」

其實我徘徊那裡，是在回憶，是在猶豫，該不該跟那個女工打招呼啊！

柯先生回答我說：「在旁觀者，也許是這麼想，但是在她們，是差不多的。因爲祇要做熟了，都是一樣的。」

「海淀的姑娘。」我隨口這樣念著。

「海淀的姑娘，」柯先生重複著我的話，「都是乖巧的姑娘，也是北方姑娘的一種典型。她們安靜、純樸。離都市近，卻沒有都市姑娘的浮；離鄉下近，卻沒有鄉下姑娘的怯。」

「所以你選擇了海淀這地方，做你產品的大本營。」

柯先生，滿意的哈哈大笑了。

回到城裡，又到花邊公司來休息。

話題還是沒有離開海淀的工廠和女工們。

「再告訴我一些她們的故事吧！」我說。

因爲我不能讓我的特寫中充滿了生產的數目字，或者民生的問題，我不是跑經濟的記者呀！而且，更不能寫得像花邊公司的廣告，這一點，我是要把握住的，報館的老闆，眼睛尖著哪！

「怎麼樣的故事呢？」柯先生抓抓頭髮問我。

「人情味兒的，跟你的工廠或工作不一定有關係的。」

「那，——」柯先生的腦筋像閃電那樣快，立刻他就用兩個手指打了一響，「我要告訴你一對母女的故事。」

據柯先生說，一個守寡多年的女人，祇有一個女兒，母女相依爲命。母親三年前到工廠來做抽紗女工，每天由女兒送飯來，兩人就在工廠裡一塊吃飯，然後女兒等待著母親黃昏下工一起回家。後來，乖巧的女兒很快的就也學會了十字繡和抽紗，在一年前也加入了女工的行列，並且成爲最快速、最靈巧、最優秀的女工。而且她們母女所掙的錢，已經積存到買了一所小房子了。

柯先生言外之意是說，在他的工廠做活，可以掙到買房置產的。這個故事極爲普通，而且帶了濃厚的廣告色彩，我沒興趣，筆記本子上，一個字也沒記載上去。

接著，柯先生又講了一些零零碎碎的小故事，因爲談到工廠多是母女、姑嫂、妯娌同來的，柯先生忽然轉向柯太太說：

「講李遜的故事給林小姐聽吧！」

柯太太想了想，說：「李遜？我今天好像沒有看見她？」

柯先生說：「來了，來了，坐在那個角落裡，你沒有看見嗎？」

然後，柯太太對我說：「李遜也是我們工廠裡的優秀女工，可憐她本來就有一個悲涼的身世，還又發生了一件不幸的事情。」

柯先生打岔說：「林小姐，那是你可以寫成小說的材料，可惜你是記者不寫小說，你寫小說嗎？」

「我一直想試試呢！」我笑笑說，「寫新聞是要據實報導，一點兒也不可以加入自己的主觀或想像，是爲別人寫。小說呢，祇要眞實感，卻不一定是眞的，所以由採訪新聞所得來的材料，常常可以做寫小說的素材，可以說是寫新聞的副產品，是真正爲自己而寫的。」

「那李遜就値得你寫了。我告訴你她的故事，可不要寫到婦女工廠的訪問記裡啊，那是難爲情的。」柯太太囑咐了我。

「不會啦，林小姐是怎樣的記者，她不是已經說明了嗎？這是副產品嘛！」柯先生請柯太太放心。

「李遜是海淀本地人，可是她隨著父親在北平城裡住了好幾年。那時他的父親在城裡做著小生意。李遜沒有媽，父親也沒有再娶，她就從小在父親的照顧下長大。因此也就從小小的年紀，擔起一個家庭主婦的責任來。」

「沒有其他的兄弟姊妹了嗎？」

「沒有，是個獨生女兒。大概因爲從小就學著料理家務，所以把父親伺候得也就沒有再娶的意思了。如今，你看她多能幹，每天在這裡做手工，回家還要伺候一個殘廢人。」

「父親殘廢了？」

「父親已經死了。故事就發生在這裡，李遜所伺候的殘廢是她姊姊，是個毫無親戚關係的姊姊。當她還住在城裡的時候，認識了一個和她年齡相仿的女孩子，這個女孩子的身世也很可憐，當時和母親相依爲命。沒想到這女孩子的母親竟因貧病而去世了，李遜的心地非常善良，而且也樂於助人，她就要求父親收容下這個小孤女。父親當然不反對，因爲正好可以給自己的女兒作伴，多一個乖巧的女兒，不是更好嗎？但是不知道爲什麼，這兩個女孩子，竟在那麼小小的年紀，竟相約了要永遠永遠伺候僅存的一個長輩——李遜的父親，不要嫁人了。」

「哦？爲什麼？」我不由得驚奇了一下。

「奇怪吧？一定是受了什麼刺激，或者是北方也有像我們廣東順德有梳頭女的風俗嗎？我們順德有許多女孩子在絲廠做工，收入也不錯，她們就結拜姊妹，一生不嫁人，因此，如果看見那幾十歲的女人，還梳著一條辮子，那就是抱獨身主義、自食其力的梳頭女啦！林小姐，你知道北方也有嗎？」

「我倒沒聽說過。」

「她們情同手足，比親姊妹還要互敬互愛。她們倆就這樣的長大起來。這時倒是父親的身體日漸衰弱了……」

「我想，一定是那個孤女爲了要報答李遜的父親收容她的恩惠，所以才立誓不嫁人，要伺候他一輩子的。」

「也許原意是這樣。我們再說李遜的父親吧，他因爲體弱，自己一個人再不能全部負起生意，非得有幫手不可了，而兩個女孩子畢竟是不能拋頭露面，舊式的生意，哪有女人插手的？所以李遜的父親就把李遜的一個遠房表哥找了來，這位表哥據說是一個誠實可靠又精明能幹的青年。有了表哥，他們的生意不但保住了，而且做了起來，表哥常常來往於北平張家口。做著皮貨、口蘑這類的生意，後來是很不錯的了。」

我在等著柯太太把故事繼續說下去，她卻停住了。

「怎麼樣了呢？該是這時發生了什麼事情吧？」我有點性急，「一個能幹的表哥，一個乖巧的表妹。」

其實柯太太很會講故事，她是一步步細細的說，如同她身臨其境。她聽我的發問，連連的搖頭：

「不不不，林小姐，你是以你摩登的現代女性的想法，以爲表兄妹戀愛了，完全不是那麼回事兒。在父親的生前，表哥是很少到家裡來的，因爲家裡衹有兩個少女，北方家庭那麼守舊，你是知道的，男女授受不親啊！但父親確是有意讓這個遠房的表姪成爲自己的女婿，可是沒想到李遜拒絕了，做父親的也就沒有積極，反正女兒還小嘛。但是沒想到，過不久父親突然病死了，這樣一來，有更多的事要表哥前來辦，家裡衹膹了兩個無依無靠的小孤女，表哥無形中就成了家庭中的一分子，這時不親也得親了。親近的結果是……」

柯太太說著又停了下來。

「難道是其中一個和表哥發生了愛情？」我猜。

「這該是理所當然的事。」柯太太說。

「那到底是誰呢？」

柯太太不理會我的話，她接著說：

「這時有人來向李遜提親了，所提的對方就是表哥。」我聽到這兒笑了，我是覺得，我實在想像不出，朝夕相見的表兄妹，卻要由媒人來向本人提親，是個什麼情景，柯太太卻指著我說，「我再說一遍，你完全不了解『保守』的意思，你以爲表哥會於花前月下，兩膝一落地，向表妹跪了下來嗎？」

「那麼到底表妹答應了嗎？這是第二次，第一次是在父親還沒有死的時候。」

「是的，這是第二次，也是第二次的拒絕，李遜是這樣回答了媒人，她說，我跟我姊姊有約，我們都不嫁人了！」

「唉！」這實在是讓我想不到的，但是，我也很奇怪，「姊姊？喔，就是那另一個孤女嗎？」

「是的，就是荷花。」

「荷花？」

「荷花呀，就是那另一個孤女呀！」

「喔！荷花，好奇怪的名字！」我稍愣了一下，「後來呢？」

「後來嗎，提婚的事擱下來了。一切歸於平靜，表哥仍是表哥，生意仍是生意，直到有一天，荷花和表哥私奔了。」

「是荷花！」我不由得驚異的叫了出來。

「原來那表面上的平靜，掩蓋住的卻是荷花和表哥在暗暗的相戀。那麼忠誠、善良而守信的李遜，是被蒙在鼓裡的。」

「啊！所以祇扔下了可憐的李遜。」我以爲這是最後的結果。

「不，不，不，」柯太太連忙搖手，「她們現在仍生活在一起。」

「你是說他們三個？」

「不，祇有李遜和荷花。林小姐，這是最悲慘，也是最感人的一幕。我簡單的說吧，這私奔的一對，是要往口外跑，表哥因爲做生意，張家口是個很熟悉的地方，沒想到，在火車開動了不久以後，不知怎麼個鬼使神差，荷花走出車廂去做什麼，竟跌落在車輪下，沒有做輪下鬼，卻軋斷了兩條腿。」

荷花，荷花，一再出現荷花這名字。眞使我不安。

「荷花又被送回到李遜的家裡來，鋸掉了兩條腿。這倒像是對私奔者的懲罰！」

「那個表哥呢？」

「李遜原諒了表哥和荷花。荷花失去了雙腿，變成殘廢，不能再結婚。李遜願意終生和她相守，因爲她仍守住那不嫁人的約言。表哥不能再留下去了，獨身奔向海角天涯。」

「那麼父親留下來的店呢？」

「店結束了，李遜帶著荷花回到海淀的老家來。李遜在我們工廠裡繡花，荷花在家裡的床頭上繡花，所以，荷花是我們工廠一個特殊的女工，她不用到工廠來。」

李遜、荷花、李遜、荷花，兩個名字，對於我有一個奇妙的感覺。我又好奇的問：

「柯太太，李遜是哪一個，你可以告訴我嗎？」

「讓我怎麼說呢，你剛才看見那麼多的女工。」

「形容她一下好了。」

「她嘛——」柯太太思索著，「沒有什麼特徵呢，——對了，額頭寬寬的。」

「單眼皮？」

「是的，單眼皮，雖然不算美，可倒還俏皮的樣子……」

還沒等柯太太說完，我忽然問：

「李遜，名字怎麼寫？」

「遜，就是這邊一個山川的川字，這邊一個冊頁的頁字。」柯太太用手指比劃著說。

我也用手指在桌上比劃著，然後不由得叫出來了：「什麼遜啊，明明是順字嘛，柯先生，柯太太，你們是什麼廣東官話呀！」

我咬緊了我的嘴唇在回憶，是順子，是順子和荷花兒的故事，是眞實的故事，不是傳奇。當年有三個女孩子約定了不嫁人的，因爲荷花兒說，男人不是好東西！如今呢，一個到底私奔了的荷花兒，一個有男朋友的女記者，順子啊！你爲什麼守住那兒戲般的約言呀？我猛然想起了什麼，對柯氏夫婦說：

「你們知道她們爲什麼有不嫁人的約言嗎？因爲荷花兒的父親遺棄了她的母親，使荷花兒母女過著那麼孤苦的日子，所以荷花兒同情母親，恨男人，才和順子發誓不嫁人的。」

「林小姐，你怎麼知道？這樣猜想，已經開始寫小說了嗎？」柯先生笑了。

「嗯——也許柯太太故事講得太眞切了，不由得引起我的推斷。」

「可是你說李遜，不，李順，又爲什麼要守住約言呢？她的父親又沒對不起她母親！我懷疑她們是同性戀愛吧！」柯先生不太關心女人，還拿人開玩笑。我很不平，正色的說：

「別那麼侮辱順子！順子是一個極守信用，極富同情心而肯犧牲的人。她雖然沒讀過什麼書，斗大的字也許認不到一車，可是她有中國舊式婦女的美德！我知道。」

「林小姐眞是一個小說家了！」柯太太笑說。

「總之，這是一個奇怪又感人的事實，林小姐得到了她採訪新聞的副產品。」柯先生搖著頭說。

故事說完了，看看錶，時間也不早了，我歎息著，起身告辭。柯先生這時從裡面拿出一個盒子來，雙手遞給我笑著說：

「林小姐，你喜歡的東西，請多指教！」

裡面是四條精緻的抽紗手絹。蔥綠、月白、粉紅、鵝黃，四種顏色。柯先生一直以爲我特別喜歡抽紗手絹，因爲我在那裡徘徊了那麼長的一段時間。

「啊！謝謝你們，柯先生柯太太。」我把扁盒摟在胸前，不由得說：「這是李順的手工嗎？」

「Maybe，」柯先生聳聳肩用英語說，「也許是荷花的呢！」

「啊！汕頭花邊公司出品，海淀姑娘的手藝，童年友誼的記憶！」我這樣對柯先生說。

柯先生哈哈的大笑了，他很開心，他一定以爲，這一次的籠絡女記者極爲成功。他當然沒有聽清楚，也不明瞭，我最後一句話的意義。

六十三年七月

文星版後記

寫作有許多種快樂。最快樂的，莫過於下筆如行雲流水。不要誤會，我並不是說，我的作品像行雲流水那樣美好。而是說，寫起來輕鬆愉快的心情有如行雲流水；不受拘泥，不費力氣。像收在這本集子裡的四篇小玩意兒（編按：指〈婚姻的故事〉、〈五鳳連心記〉、〈茶花女軼事〉與〈地壇樂園〉），寫作時的情形就是如此。

當我寫她們的時候，是隨其自然發展，並未想到什麼結構呀、藝術呀，這些令人頭痛的事情。我不知道她們的結構如何，因爲那些人物的典型、故事的經過和給我的感觸，是早結結實實的儲存在我腦子裡許多年了。我寫她們的時候，不容我有所改變，我也不要改變。因此，順著早刻在我腦中的次序，就流水般的奔放於我的筆端了！我也不考慮她們的藝術的境界如何，因爲藝術不藝術，是由那些批評家去說的話，不關我事。

寫這些東西，還有一些快樂的事情，可以說一說的。常常爲了對某人某地某事的記憶不太清楚，媽媽（請羨慕我這樣大了還有個媽媽！）便是我的顧問。當媽媽指點我的錯誤的記憶時，我們會因此又談起當年事，聯想到更多的親友，不一定是親友，也許我們會想起門前的一個乞丐怎麼討飯，賣大蜜桃的怎麼吆喚，趙炳南的外科膏藥怎麼管用；土地廟的梳子，七月十五的蓮花燈，太廟的古松；六路綠牌電車上穿著藍布大褂的售票員，客氣的說著：「這位老者，您還沒買票哪！」……

啊！這樣瑣碎，這樣親切，又這樣令人傷感於過去的日子不能倒流。

夜半寫作，四下靜悄悄的，雖然不知道疲倦，但是也不由得會扔下筆舒口氣，伸個懶腰，對著臨街的玻璃窗，發半天愣。回憶的環子，彷彿就一環一環的，映在玻璃窗上。

這些作品，就是在這樣的情形下寫出來的。登出來有了讀者，也是快樂。把她們一篇篇的剪下貼存起來，藏在抽屜裡。有一天，有人說要給我出版一個集子，使她們再度出現於讀者之前。這樣既可以使抽屜裡減輕了一些負擔，又可以使書架上多一本新書。總是一件可喜的事吧！

五十二年八月在台北

〈附錄〉

重讀母親的小說

夏祖麗

許多年前——大概有二十五年了，那時我們還住在重慶南路三段一個巷口的日式房子裡，短短窄窄的巷子，差不多有二十戶人家。童年的玩伴就是巷子裡的女孩們：毛毛、囡囡、我的同學青姐、小宜、京京、阿妹、咪樣……再加上我和姊姊。每天黃昏，做完功課，大家就聚在巷子裡遊戲，跳橡皮筋，跳房子，總是玩到天黑，家家傳出炒菜的香味才回家。

童年的記憶，就在那有梔子花香的小巷，和母親親手為我和姊姊縫製的一件件彩色繽紛的小花衣裙裡流過去了。

念了初中後，因為煩重的功課和升學的壓力，童年的遊戲不再。而每個週末的晚上，女孩子們總喜歡聚在我們家那小小的客廳裡，盤腿坐在榻榻米上，聽母親說那些北平的古老故事，從她童年依寡母弟妹的生活，到嫁後度過的大家庭光陰，說來說去，總會談到上一代婚姻的故事，這也是我們這群女孩最感興趣的。母親的記憶力好，又是說故事的能手，大家聽得入神了，捨不得離去，總是要求她再多說幾個。

這些故事有的是從外婆那兒來的，有的是發生在母親周圍的一些親戚朋友或她所生活的大家庭中的。就像我的三伯父，因爲不敢違抗父母給他安排的婚姻，在不如意的婚姻生活下使他的肺病加重，終年纏於病榻，最後抑鬱而終。這一場毫無意義的婚姻，犧牲掉祖父母的一個讀到大學畢業的兒子，帶來無可挽回的痛心，使得二老再也沒有勇氣承擔下面六個孩子的婚姻大事了。所以從四伯父起，包括排行第六的我的父親，爺爺奶奶就放棄了「父母之命」的權利，任他們婚姻自由了。

另外在法國學藝術的五伯父，因單戀一位小姐成瘋，被送回北平，而那位小姐卻連影兒都不知道，五伯父的藝術生命也因此而完結了。這些點點滴滴母親都寫入了她的小說〈婚姻的故事〉中。

還有母親的老同學傅阿姨家的故事，傅阿姨的父親娶了她母親身邊的丫嬛爲二房。在那個時代，丈夫娶姨太太是天經地義的事，傅阿姨的母親表面大方，內心卻痛苦萬分。自從姨太太進門後，她就不再走進對面丈夫的房裡，每天躺在自己的床上，以裝病來引起丈夫的注意，另一方面也藉病來折磨丈夫和姨太太。後來三分病竟成了十分的癱瘓了。這個女人就在一盞燭光下，面對著牆躺了十幾年，一直到丈夫嚥下最後一口氣，對房揚起哭聲時，她一個人被扔在屋裡，又恨又悔。她活了一生卻癱了半生，只為丈夫娶了姨太太。母親的一篇小說〈燭〉，寫的就是這個故事。

「姨太太」是中國舊家庭中習見的人物，我發現母親很喜歡寫「姨太太」這型人物，大概她在那時代中見得太多了。就如另一篇〈金鯉魚的百襉裙〉，寫的就是一個名叫「金鯉魚」的姨太太的一生。金鯉魚六歲被賣到許家，十六歲收房做了許老爺的姨太太，給許家生了一個大胖兒子，也是許家唯一傳宗接代的煙火，但是她的姨太太的身分並沒因此而改變。兒子知書達禮，管她叫「媽」，管元配母親叫「娘」。

金鯉魚唯一的盼望是在兒子結婚那天穿一次紅色的百襉裙，這種中國舊式的大禮服姨太太是沒有資格穿的，但是她覺得自己是許家唯一煙火的親娘，她應該可以。「金鯉魚做了一條百襉裙」的笑話傳遍了整個家庭，在兒子結婚前夕，大太太卻宣布，少爺受的是新教育，現在也是民國了，當天家裡女眷也要一律「新」起來——穿旗袍，金鯉魚的盼望落了空，她生兒子的驕傲一次次被人們壓制下去。兒子體會到母親在這個家庭中的地位，他無法去改變，只有懷著為人子的痛苦遠渡到日本求學，離開這個沈悶守舊的大家庭。

當金鯉魚去世時，兒子從日本被叫了回來。金鯉魚是妾，照規矩她的棺材是不能由大門抬出去的，受新教育的兒子再也忍不住扶棺痛哭的說：「我是姨太太生的，我可以走大門，那麼就讓我媽連著我走一回大門吧！就這麼一回！」每次母親說起這個故事時，我們都會流下眼淚。半個多世紀前一條百褶裙對一個女人的身分是那樣重要，是我們不可想像的。

母親對〈金鯉魚的百襉裙〉這篇小說的處理也很別致；在「時空」上，從古老的時代拉到現代。人物也一樣，寫的是祖母的百褶裙，卻加上未曾謀面的第三代孫女，也要穿這條百褶裙，在無意中就給了隔代的強烈的對比，孫女是活活潑潑的生活在無憂無慮的現代，而祖母是被埋葬在怎麼掙扎也不能突破的年月裡。

還有一個在舊式沖喜婚姻下的犧牲者的故事：一個少女在嫁過去一個月後丈夫就死了。這個仍是處女之身的少女從此一生留在男家，那樣陌生的婚姻，卻能使一個少女一生跌入孤單淒涼的生活，那樣的一個月，就是她一生全部的愛情和婚姻。後來母親把它寫成小說〈殉〉，這樣和以死相殉差不多吧。不過在小說中，母親卻安排讓她以對小叔子懷著微妙的感情來度過漫漫長夜。

〈燭〉、〈婚姻的故事〉、〈金鯉魚的百襉裙〉、〈殉〉寫的是母親上一代的婚姻的故事，在當年少女的我看來，那種婚姻的制度眞是不可思議，就像我們讀《紅樓夢》一樣。

寫到這裡我想起來，幾年前母親的一位美國讀者卜蘭德女士，她當年來台北學中文及搜集中國兒童讀物資料，母親幫了她一些忙，後來成爲好友。有一次她訪問母親，談及母親的小說；她問母親，她的許多作品中很有一些是描寫上一代婚姻的，爲什麼？母親說，在中國新舊時代交替中，亦即五四新文化運動時的中國婦女生活，一直是她所關懷的，她覺得在那時代，雖然許多婦女跳到時代的這邊來了，但是許多婦女仍然停留在時代的那一邊沒有跳過來，這時就會產生許多因時代的轉變的故事了，母親多有感觸，所以常以此時代爲背景寫小說，雖然母親不過是那時代才出生的。卜蘭德又問母親，「那麼你對於跳過時代來的女性和未跳過來的女性，究竟是以怎樣不同的同情心寫她們的？」母親說，「無所謂。」卜蘭德笑說，「我讀你的小說，發現你是以同情沒跳過來的她們而寫的。」母親也笑了，說：「這我自己倒沒想到呢！」我想母親在下意識中確是如此，因爲母親在日常言談中，常常透露著對她上一代的「沒跳過來」的女性的敬重。

另外母親還有幾篇小說〈某些心情〉、〈瓊君〉、〈燭芯〉、〈晚晴〉寫的是她那一代的婚姻的故事，〈晚晴〉是描寫一個妻女留在大陸的中年單身漢，住在公家的大宿舍裡，每天下班後過著單調的生活。有一天，他偶然在巷口遇到一對年輕的母女——安晴和她的一歲大的女兒心心。這對母女的年齡和他當年離開大陸時妻女的年齡一樣，使他不禁把這對母女化爲自己妻女的影子。安晴楚楚的溫柔，心心童稚的笑靨溫暖了他那寂寞的心，給他的生活憑添了樂趣。但安晴有個終年在外飄泊不負責的海員丈夫，他在大陸上也有妻女。含蓄的他爲了自拔於這段感情，就離開台北，去靜靜的做自發情感的養疴，〈晚晴〉正是戰亂下多少被拆散的婚姻的故事。

〈燭芯〉的背景也在戰亂時期，寫一對年輕的小夫妻在抗日戰爭時分開，女主角元芳苦苦等待了八年，但重逢時，當年那個誓言的丈夫卻已在後方另娶了，而且還生了幾個孩子。

良心和責任使他的丈夫對兩邊都無法放棄，禁不住丈夫的一再要求，元芳容納了另一個女人，接受丈夫一個星期來住幾天像施捨似的愛情。她的一生就像一根燭似的，禁不住別人一點點感情，就把自己犧牲了。

這些婚姻的故事原都是收在母親二十多年前寫的兩本小說集《燭芯》和《婚姻的故事》裡，現在純文學出版社重排出版（這兩本書收於民國五十四年的文星叢刊，後由劉紹唐先生主持的愛眉文庫印行，現經劉先生同意，由作者自行印製）。我在校對時又重讀，心中的感受和十五、六歲時自然不同。而昔日坐在榻榻米上聽故事的童伴，也都各奔東西。我和姊姊早已爲人妻、人母，小宜嫁到高雄，生了一兒一女，有個美滿的歸宿。囡囡丟下那已破裂的婚姻，帶著一雙兒女遠赴異國。青姐是留學生婚姻下的不幸者，十年的煎熬，使她已瀕於崩潰的邊緣。去年，終於帶著破碎憔悴的身心回到娘家，但是長期受創的心靈，又豈是親情撫慰得了呢！

一代接一代，婚姻的故事似乎是永遠說不完的，但是我們這一代的婚姻的故事，是不是也應當有像母親這樣的一枝筆寫下來呢。

七十年三月十二日

國家圖書館出版品預行編目資料

婚姻的故事／林海音文

初版，——臺北市：遊目族文化出版；城邦文化發行，2000〔民89〕

面：　　公分——（林海音作品集）

ISBN 957-745-303-1（精裝）·ISBN 957-745-304-X（平裝）

857.63　　　　89003549

〈林海音作品集4〉

婚姻的故事

文／林海音
策劃／王開平
責任編輯／張玲玲、杜晴惠、張文玉
美術編輯／林意玲
封面設計／沈月蓮
出版者／遊目族文化事業有限公司
編輯所／台北市新生南路二段20號6樓
電話／(02)2351-7251
傳真／(02)2351-7244
發行／城邦文化事業股份有限公司
地址／台北市民生東路二段141號2樓
電話／(02)2500-0888　傳真／(02)2500-1938
讀者服務專線／(02)2500-7397　讀者訂閱傳真／(02)2500-1990
郵撥帳號／18966004　城邦文化事業股份有限公司
網址／www.cite.com.tw
香港發行所／城邦（香港）出版集團有限公司
地址／香港北角英皇道310號雲華大廈4字樓，504室
電話／852-25086231　傳真／852-25789337
E-Mail／citehk@hknet.com
馬新發行所／城邦（馬新）出版集團 Cite (M) Sdn. Bhd. (458372 U)
地址／11, Jalan 30D/146, Desa Tasik, Sungai Besi, 57000 Kuala Lumpur, Malaysia
電話／603-90563833　傳真／603-90562833
二〇〇〇年五月初版一刷　二〇〇四年六月七刷
ISBN／957-745-303-1（精裝）　957-745-304-X（平裝）
定價／三五〇元（精裝）　二五〇元（平裝）
感謝財團法人國家文化藝術基金會贊助出版

財團法人|國家文化藝術|基金會
National Culture and Arts Foundation